D1232172

ArgenLeaks

Los cables de Wikileaks sobre la Argentina,
de la A a la Z

Santiago O'Donnell

ArgenLeaks

Los cables de Wikileaks sobre la Argentina,
de la A a la Z

Sudamericana

O'Donnell, Santiago
ArgenLeaks. - 6ª ed. - Buenos Aires : Sudamericana, 2012.
360 p. ; 23x16 cm. (Investigación periodística)

ISBN 978-950-07-3522-3

1. Investigación Periodística. I. Título
CDD 070.4

Primera edición: septiembre de 2011
Sexta edición: enero de 2012

IMPRESO EN LA ARGENTINA

*Queda hecho el depósito
que previene la ley 11.723.*
© *2011, Editorial Sudamericana S.A.®*
© *2011, Random House Mondadori S.A.*
Humberto I 531, Buenos Aires.

www.megustaleer.com.ar

ISBN 978-950-07-3522-3

Esta edición de 4.000 ejemplares
se terminó de imprimir en Printing Books S.A.,
Mario Bravo 385, Avellaneda, Buenos Aires,
en el mes de enero de 2012.

A la memoria de Leonardo Néstor Tossi

Agradecimientos

A *Página/12* y Ernesto Tiffenberg por el lugar, la oportunidad y el pasaje a Londres. A Horacio Verbitsky por la recomendación. A mis compañeros del diario.

A Florencia Ure por los genes, a Marcelo Panozzo por el título, a Martín Becerra por Lima, a Lucía Baragli por el Sheraton y a Pablo Avelluto por la Cunnington con limón.

A Ramón Stocovaz y José O'Donnell por el aguante.

A mis padres Teresa Emery y Guillermo O'Donnell, y a Hortensia Correa. A mi tía, Carmen Celia.

A mis hermanos Matías, Ignacio, María y Julia O'Donnell, Francisca Araya, Federico Huber y Leonardo Pereira.

A los Ángeles de la Colina.

A Mónica Cuñarro por el C3, a Javier Badaracco por el programita y a Rocío de Elía Peralta Ramos por la pastelería.

A María Cecilia Rojo Batch por el discreto encanto de su compañía.

Diferentes versiones de Julian, Cargill, Das Neves, Duhalde, Falklands, Garré, Irán, Jaque, Kristinn, Macri, Menem, Minas, Monsanto, Openleaks, Piqueteros, Sanz y Yabrán fueron publicadas en el diario *Página/12*.

0.1 | Prólogo

WIKILEAKS Y LAS ZONAS ERRÓNEAS
DEL PERIODISMO Y LA POLÍTICA

Martín Becerra[1]

En la megafiltración de Wikileaks están presentes los clásicos factores que en la práctica periodística dotan a los hechos de la jerarquía de lo noticiable: el caso refiere al gobierno más poderoso del planeta pero al mismo tiempo involucra a los políticos y gobernantes locales de casi todos los países incluyendo por supuesto a la Argentina, proveyéndole así el imprescindible ingrediente de localía que reclaman los manuales de la noticia; combina pasado y presente, aludiendo a hechos de la historia reciente que, en muchos casos, repercuten en la actualidad; amenaza con socavar los cimientos de algunas viejas certezas del oficio periodístico, como la necesidad de intermediación profesional para la difusión de noticias, pero no alcanza a quebrarlas; remite ingeniosamente al imaginario tecnológico digital, con su secuela fetichista que consiste en proyectar sobre la sociedad el funcionamiento reticular de Internet, como si la comunidad fuese una auténtica "sociedad-red"; repone desde un lugar novedoso la compleja discusión sobre el rol

[1] Profesor titular de la Universidad Nacional de Quilmes y de la Universidad de Buenos Aires e investigador independiente en el CONICET. Es doctor en Ciencias de la Comunicación por la Universidad Autónoma de Barcelona.

de los grandes grupos de comunicación, sus diversos intereses económicos y sus sesgos y juicios editoriales. Como si todo esto fuera poco, el caso se complementa con la trama judicial por el pedido de extradición de Suecia hacia Gran Bretaña del líder de Wikileaks, Julian Assange.

Santiago O'Donnell es el único periodista argentino que ha tenido contacto personal con Assange y es uno de los pocos que tuvo acceso directo a los 2.510 cables de la megafiltración que hablan de la Argentina. Estos 2.510 cables representan sólo el 1% de la base de datos del escándalo, indicador éste que refiere a la valoración de la importancia geopolítica argentina por parte de la diplomacia estadounidense.

Aunque la propagación de los "papeles del Departamento de Estado" por parte de Wikileaks comenzó en noviembre de 2010 y tuvo amplia repercusión en los medios masivos, la información publicada en este libro es, en buena medida, inédita. Si bien Santiago O'Donnell es autor de varias notas publicadas en *Página/12*, lo cierto es que el ambiente de polarización política que afecta al sistema de medios argentino ha imposibilitado la difusión de información clave porque resulta inconveniente para algunos de los intereses en pugna. El silencio de las empresas periodísticas argentinas frente a algunos de los cables aquí publicados se añade a los ingredientes de interés que trae Wikileaks.

Ministros y ex ministros del gobierno argentino, líderes de la oposición política, referentes religiosos, jueces, empresarios y columnistas políticos de los diarios más leídos asumen en sus contactos con la embajada una faceta que contrasta con sus apariciones públicas. Algunos de estos casos fueron divulgados y ahondaron el conocimiento sobre las confidencias hechas a los diplomáticos estadounidenses por Sergio Massa o Mauricio Macri, por ejemplo. Pero otros cables que involucran a funcionarios más encumbrados y menos conocidos, como Carlos Zannini, hasta ahora fueron eludidos por la difusión de los principales medios locales.

Este libro revela las zonas erróneas de la estrategia de difusión planificada por los cerebros informáticos y periodísticos de la organización Wikileaks y por los medios masivos que operaron como difusores. La alianza establecida entre Wikileaks y el sistema de medios tradicional explica, en parte, la existencia de esas zonas erróneas. La megafiltración ha demostrado que el mundo digital, previsto como relevo de los medios tradicionales, necesita nutrirse de la credibilidad y el oficio editorial de los grandes periódicos para alcanzar impacto público. Pero la alianza entre lo viejo y lo nuevo, atravesada de intereses corporativos, no es serena. En efecto, para dar a conocer los papeles del Departamento de Estado, Wikileaks se asoció con cinco de las principales corporaciones periodísticas del mundo, todas con sede en países centrales (otro indicador del "conventillo global", expresado en su desigual geografía), que editan diarios líderes escritos en cuatro idiomas (*The New York Times*, *The Guardian*, *Der Spiegel*, *Le Monde* y *El País*).

La asociación con estos diarios permitió a Wikileaks maximizar la difusión de la megafiltración a niveles que no hubieran tenido lugar sin la transferencia de prestigio editorial, oficio periodístico y credibilidad en la comunidad de profesionales y lectores que reprodujeron en otros medios la información. Así, pues, en lugar de reemplazo tecnológico, fue la colaboración entre el uso de Internet, como sinónimo de la velocidad y de manejo de gigantescos volúmenes de datos, y los viejos medios, con sus competencias editoras y sus rutinas secuenciales, lo que se conjugó como estrategia de alto impacto. La asociación entre Wikileaks y los cinco grandes diarios podría leerse como un peculiar pacto fáustico en el que lo viejo y lo nuevo se alternan en el rol de Fausto y de Mefistófeles y los dos creen compensar con los beneficios del pacto sus riesgos. En la versión de Assange la asociación permitió desplegar una estrategia promocional sin mácula para el alma de su ONG, necesitada de una cobertura institucional mayor dada la magnitud de los documentos a difundir; para los diarios, se trató de reponer el lugar de la edición periodística para ordenar el desconcierto que promueven los torrentes de bytes digitales.

Corresponde decir que la tarea de ambas partes (Wikileaks y las empresas periodísticas que editaron y difundieron los cables) fue facilitada por la óptima factura estilística de muchos de los cables, con lo que la diplomacia estadounidense, vapuleada por su insegura red de comunicación interna, exhibe gracias a la filtración competencias como capacidad de síntesis, identificación de fuentes, fina ironía y suficiencia redactora; cualidades que no son tan frecuentes, por ejemplo, en el campo del periodismo.

En febrero de 2011 la luna de miel entre Assange y sus primeros socios mediáticos se terminó. La causa de la ruptura revela hasta qué punto las viejas industrias culturales, como en la fábula del escorpión y la rana, llevan en "su naturaleza" la traición de sus ídolos cuando resulta un buen negocio priorizar la venta de "su" historia, aun cuando ésta incluya la divulgación de cuestiones agraviantes para el personaje. El Guardian Media Group, editor de *The Guardian*, anunció la publicación del libro *Wikileaks. Julian Assange's War on Secrecy*, que ventila discusiones entre el hacker y los editores de *The Guardian* y describe a un Assange vacilante entre convertirse en un luchador por la libertad de información o en un delincuente sexual. Tras el anuncio del libro, Assange rompió el acuerdo de exclusividad con *The Guardian* y, despechado, cerró trato con el conservador *Daily Telegraph*. Por supuesto, la temprana ruptura de la sociedad no sólo ilustra sobre la "naturaleza" de las industrias culturales, sino que se convierte en toda una moraleja acerca de qué tan consecuente con los principios políticos puede ser el discurso de la transparencia metaideológica.

Wikileaks precisó aliarse con las mencionadas cinco corporaciones periodísticas y esta alianza —demostrativa de las limitaciones que tiene todavía Internet para imponerse como escenario de proyección noticiosa— tuvo costo en la independencia editorial. Un ejemplo evidente fue la selección de cables que presentó en los primeros diez días de la megafiltración el diario español *El País* (Grupo Prisa). Los cinco primeros socios de Wikileaks, los reemplazos que fueron hallando entre su competencia, así como su réplica por parte de muchos otros medios de comunicación, operaron como *gatekeepers* que ampliaron y resignificaron, en un mismo movimiento, el impacto de la megafiltración. En el caso argentino, el sesgo editorial se combinó, como se dijo, con la polarización del campo periodístico, mediático y político en general.

Esta polarización se profundizó a partir de marzo de 2008 (inicio de la "crisis del campo") pero este libro de Santiago O'Donnell, en sus dos artículos sobre *Clarín*, aporta elementos hasta hoy desconocidos en el debate público sobre el inicio del distanciamiento entre el gobierno de Néstor Kirchner (concesivo con el multimedios al que habilitó entre 2003 y 2007 niveles de concentración mayores a los registrados al inicio de su mandato) y el Grupo Clarín.

Ejemplo de la polarización política y mediática argentina es el antagonismo entre *La Nación* y *Página/12*, los dos mejores productos del periodismo con opinión de la Argentina, por capturar los cables y sobre todo, por editarlos. Este antagonismo y su edición, reveladora no sólo de las posiciones dicotómicas sino también del carácter de constructo que la noción de "diversidad de fuentes" y "pluralismo" tiene en la versión de cada una de las dos empresas periodísticas, es atenuado por la decisión de *Página/12* y de *La Nación* de suministrar, a quienes se interesan por el caso, una versión literal de los cables diplomáticos difundidos en sus portales digitales.

Diario sobre diarios (*Dsd*, www.diariosobrediarios.com.ar), el principal sitio de análisis cotidiano sobre los contenidos de los periódicos argentinos, clasificó como "partidización de la agenda" al comportamiento editorial de las empresas de comunicación, al advertir que los medios acceden al mismo material de base (los papeles del Departamento de Estado) y que su edición es absolutamente incongruente. Para *Dsd*, "una de las características de la partidización entre algunos diarios (cuando éstos se comportan como partidos políticos) es que cada uno elige de cada hecho la información o el enfoque funcional a su posicionamiento político-editorial [...] *Clarín* y *La Nación* han privilegiado los que son adversos al gobierno nacional (y que levantaron del diario español *El País*), mientras que *Página/12* (que tiene un acuerdo con la organización de Julian Assange) ha priorizado los favorables al Ejecutivo (o adversos a opositores). Como ni los dos primeros se hicieron eco en los últimos días de la información de *Página/12* y éste tampoco consignó la difundida por *El País*, el lector debió recurrir al menos a tres diarios para tener un panorama completo de los cables desclasificados".

En realidad, este libro relativiza la observación de *Dsd*, ya que contiene información que ni *El País*, ni *Página/12* ni *La Nación* publicaron hasta ahora y que resulta medular para comprender no sólo la lógica editorial de esas empresas sino, fundamentalmente, el tipo de vínculos que la dirigencia política, empresarial, religiosa y mediática argentina sostiene con los representantes diplomáticos de los Estados Unidos. Es decir que no bastaba con leer esos tres importantes diarios para acceder a la información de la megafiltración. El acceso a la información tiene en este libro, pues, una contribución decisiva. Si una organización con asiento en Internet (Wikileaks) precisa ampliar la difusión de la megafiltración por medio de algunos de los principales diarios para superar las limitaciones del medio digital, en el caso argentino resulta necesario editar un libro para sortear los condicionamientos del sistema de medios masivos.

Por otro lado, Wikileaks permite mejorar la comprensión sobre la relación circular que existe entre medios de comunicación, periodismo y política. Los medios de comunicación, los periodistas y los políticos actúan en este caso como fuentes y recolectores de información indistintamente, generando una endogamia articulada pero carente de dispositivos eficaces de validación de la información de la que se nutren. Algunos cables referidos a los contactos entre la embajada de los Estados Unidos y algunas de las estrellas periodísticas vernáculas confirman esa circularidad y autorizan una lectura documentada sobre sus vicios endogámicos. Reviste importancia la difusión que realiza Santiago O'Donnell de las reuniones de Joaquín Morales Solá, Eduardo van der Kooy o Jorge Lanata con la embajada.

El mérito de O'Donnell no es estrictamente periodístico. Además de cumplir con rigor profesional su labor, el autor es consciente de la contrariedad que la edición del presente libro causará en la polarizada escena mediática y política argentina. Allí donde otros periodistas aceptan esa polarización como inexorable determinación de su práctica, Santiago O'Donnell se resiste a reverenciarla. Las páginas que siguen dan testimonio, infrecuente en los días que corren, de que la vocación informativa del periodismo puede trascender el cálculo sobre quién capitalizará la noticia.

0.2 | Introducción

No me lo digas, mostrámelo.

BELLA STUMBO

Los Wikileaks nacieron de un choreo. De un tipo que hoy está en la cárcel y la está pasando muy mal, el soldado Bradley Manning. Dicen que su único ejercicio es caminar en una habitación vacía. Lo del choreo no está probado, pero parece que saben que fue él y pueden demostrarlo, aunque no pueden sacarle a quién le pasó la merca. Los documentos sustraídos son cientos de miles de cables, correo militar de las guerras de Irak y Afganistán y despachos diplomáticos de todo el mundo del gobierno estadounidense. Millones de empleados públicos como el soldado Manning podían acceder a ellos desde sus computadoras. Llegaron a un tipo que maneja un sitio seguro para hackers llamado Wikileaks, que se encargó de difundirlos por el mundo.

Cuando conocí a Julian Assange, fundador del sitio, en un castillo inglés, lo que más le preocupaba era que no publicara nada que pudiera perjudicar a Manning. Nada que pudiera usarse en una corte estadounidense para demostrar que la información supuestamente sustraída por Manning había puesto en peligro la vida de alguien en la Argentina.

Assange no me lo dijo, pero me dio a entender que Manning era el primer mártir de la causa, llámese revolución, ideología, nueva forma de comunicar, ciberposperiodismo. Hablamos, tomamos café y su ayudante me mostró un do-

19

cumento para publicar Wikileaks en *Página/12*. Llamé al diario, firmó, firmé, dos copias, una para cada uno.

Era mi primer viaje a Europa pero no podía pasear con los documentos. Aunque después me di cuenta de que podría haber googleado el lugar, o seguido la huella de los paparazzi, el viaje había sido una película de espías. Llegué siguiendo instrucciones trianguladas por teléfono desde un país sudamericano por un miembro de la organización, que a su vez se comunicaba vía chat encriptado con la gente del castillo.

Me entregaron un pendrive, me dijeron que la clave para abrir los archivos me la darían en Buenos Aires. Me dejaron en la estación de Beccles media hora antes de que pasara el último tren. Esa noche, mi única noche en Europa, no quise salir para no toparme con ninguna espía. Pasé la noche en un hotel de Londres durmiendo con el pendrive en el bolsillo, por las dudas, para que no entre nadie en el cuarto y me lo reemplace cuando me ganara el sueño. Al día siguiente paseé por el Támesis con el pendrive en el bolsillo, me tomé un tren y volví a Buenos Aires. Cuando me llegó la clave y los pude abrir no lo podía creer. Dos mil quinientos diez cables partiendo de o con destino a la embajada estadounidense de Buenos Aires, todos ordenaditos en planillas de Excel.

Es cierto, los cables están llenos de chismes, recortes de diarios e historias archiconocidas. Sólo dicen lo que cuenta un montón de gente que piensa de determinada manera. Pero no hay duda de que son reales. Además, son verosímiles en tanto que la gente que aparece en ellos, al no pensar que está hablando en público, tiene menos razones para mentir.

Cinco meses después de empezar a leerlos puedo decir que los Wikileaks están manchados desde su origen, por más que venerables instituciones del periodismo como

The New York Times, The Guardian, Le Monde, El País, La Jornada, Página/12 o Editorial Sudamericana los hayan pasado por el Lave-Rap de la credibilidad y la respetabilidad. Manchan a los estadounidenses, y a los argentinos. A quienes los chorean, a quienes los reparten, a quienes los escriben, a quienes los editan, a quienes los publican y a quienes los leen. ¿Querés saber lo que dicen los poderosos entre cuatro paredes en la sede local del país más poderoso del mundo? Bancatelá. Ya cruzaste la línea.

1.0 | Julian

Entramos por la puerta de atrás, por la cocina, en la mansión donde vive Julian Assange, una tarde de enero helada y gris, a eso de las cinco y media de la tarde.

Ni sirvientas ni mayordomos en Ellingham Hall, la edificación georgiana construida en el siglo XVIII que sirve de guarida al fundador de Wikileaks. Lo primero que se ve es un par de empleadas de la organización preparando una tarta sobre una larga mesada frente a un ventanal mientras dos chicos, en uniforme escolar, toman la leche junto con su niñera alrededor de una mesa redonda. Son los hijos de los dueños de casa, el adinerado periodista Vaughan Smith y su esposa Pranvera.

La cocina da paso a un salón amplio y despojado, con paredes altas de tonos oscuros en las que cuelgan grandes óleos con antepasados ilustres, como en las películas. De muebles, poco y nada. Un par de sillones mullidos tapizados en tela negra, algunas sillas, una repisa de madera tallada que sostiene dos o tres candelabros rústicos, plateados y vacíos. Frente a una gran ventana que da al jardín, por donde se filtra un resto de luz, otras dos empleadas de Wikileaks trabajan en sus laptops, sentadas a una mesa de comedor para unas quince personas.

Assange está en un salón contiguo al nuestro. Sabe de la visita pero no puede ser molestado. Pasa horas en ese cuarto, trabajando en su computadora y durmiendo en el sofá. Sale de la mansión sólo una vez por día para presentarse en la comisaría local y cumplir con el acuerdo de libertad condicional que firmó al salir de la cárcel bajo fianza tras ser detenido en Londres en diciembre pasado. Había sido arrestado a pedido de Suecia por dos acusaciones de abuso sexual.

Según las denunciantes, los presuntos crímenes habían ocurrido durante relaciones consensuadas que Assange insistió en continuar sin protección profiláctica, algo que en Suecia está penado por la ley. Las mujeres que lo acusaron dijeron que no se conocían entre sí previamente pero que a raíz de lo sucedido entraron en contacto y decidieron presentarse juntas ante la Justicia. Assange jura que todo es una maniobra de los Estados Unidos para extraditarlo a ese país. El fiscal general estadounidense confirmó que lo está investigando por presunto espionaje pero todavía no lo ha acusado. En los cinco años de existencia de Wikileaks, el sitio difundió más de un cuarto de millón de documentos secretos, casi todos de los Estados Unidos. El fiscal general lo quiere procesar pero no la tiene fácil: en ese país es un crimen robar documentos pero no es un crimen publicarlos.

De repente se abre la puerta y aparece. Tiene cara de sueño y la ropa arrugada: lleva traje azul, camisa celeste, zapatos negros. Es alto, flaco, bien rubio y parece más joven que sus 39 años. Sólo le falta la mochila con la laptop para completar el cliché del guerrillero cibernético del siglo XXI.

El viaje había sido largo. Me ofrece un café. Se va. Al rato reaparece con un plato de galletitas caseras de limón. Lo deja en la mesa y se desliza hacia su cuarto. Al rato vuelve a salir, pasa a la cocina y vuelve con dos tazas de café. Atiende su celular. Vuelve a irse al otro cuarto; vuelve a salir. Aparece y desaparece casi en silencio, inesperadamente, como un fantasma.

Está claro que desconfía de los periodistas, que guarda distancia con ellos. Sabe que los necesita pero no le gusta que se acerquen. Acaba de romper relaciones con *The New York Times* y *The Guardian* después de que ambos diarios publicaran perfiles de Assange que lo dejaban en ridículo. Lo describían como un neurótico autoritario con delirios de persecución, un fugitivo con las horas contadas. Se trata de los mismos diarios que se cansaron de vender tapas con las primicias de Wikileaks. Yo no lo veo tan terminado. Lo veo a full, yendo y viniendo.

Cuesta atraer su atención pero se detiene un momento si uno habla de él. Le cuento que me impresionó la popularidad que había ganado en Europa mientras que en los Estados Unidos era tan criticado y en América latina era prácticamente un desconocido. Le digo que me gustaría contar su historia. Menciono una columna de opinión de *El País* de España que había leído en el avión y que lo presenta como el nuevo ícono revolucionario. El artículo dice que miles de jóvenes ya se visten y se peinan como él y que Hollywood ha copiado su estética.

Assange no parece muy impresionado pero al menos está escuchando. Entonces le digo: "El Che Guevara estaba en la selva y usaba el fusil, el subcomandante Marcos estaba en la selva pero usaba la computadora, y ahora venís vos y usás la computadora pero ya no estás en la selva".

Lo hago sonrojar un poco. "Soy consciente de ese lugar que ocupo", me contesta en voz baja, casi como un susurro.

Comento que mucha gente está esperando su próxima jugada y le pregunto si es verdad que va a publicar información sobre un banco estadounidense, como le había adelantado al *Times* de Londres.

"Uy, cometí el error de mencionarlo una vez y ahora

todos me preguntan. Algo vamos a hacer, pero no quiero adelantar nuestras movidas", dice.

"Tanto no te equivocaste porque todo el mundo habla de eso", contesto.

"Puede ser", dice ensayando una media sonrisa mientras emprende otra retirada a su habitación, donde se escuchan nuevas voces. Al rato pasa otra vez, ahora camino a la cocina, cargando dos cartones con huevos. Lo miro y sonríe. Parece contento. Cuando vuelve a pasar lo intercepto con más preguntas.

"¿Estás convencido de que la causa en Suecia (por presuntos delitos sexuales) fue armada por los Estados Unidos?"

"No tengo ninguna duda. El Pentágono es capaz de cualquier cosa. Fijate los cables y te das cuenta. Si mandan a matar a un ministro en Zimbabwe, ¿cómo no van a tratar de hacerlo conmigo?"

Se refería al ministro de Comercio e Industria del "gobierno de unidad" zimbabwense, Welshman Ncube. Según un wikicable, el embajador estadounidense en Harare había escrito que era "una figura divisiva y destructiva dentro de la oposición" y había recomendado que "lo saquen de escena". A Ncube la revelación no le cayó bien. Dijo que podría ganar o perder elecciones pero que siempre seguiría en política y que la única manera de "sacarlo" era matándolo, por lo que él interpretaba que el embajador había ordenado su asesinato. Mi pregunta sobre el caso judicial había incomodado a Assange. Enseguida aclara que no puede hablar más del tema por consejo de sus abogados, y se retira a su cuarto.

Al rato salgo a fumar un cigarrillo. Al volver lo encuentro cuchicheando y sonriendo con dos colaboradoras. Les pregunto de qué hablan. Me contesta él.

"¿Viste cuando salís con una chica y a los diez minutos te das cuenta de que la cosa no va pero ya te clavaste para toda la noche? Bueno, eso me pasa con los australianos que están en el otro cuarto. A los cinco minutos de empezar a hablar me di cuenta de que la cosa no va, pero se vinieron desde Australia para verme, y no puedo no escucharlos". Se ve que le gusta jugar con fuego. Comenta que está apurado porque tiene que presentarse en la comisaría y se le está haciendo tarde. Le pregunto si lo puedo acompañar y me contesta con un "no" rotundo.

"Quiero escribir sobre vos", le repito. "Para explicar lo que estás haciendo tengo que hacerlo a través de tu personaje, así le llega a más gente."

Apenas sonríe mientras sacude su cabeza en señal negativa "Mi vida no es importante, lo que importa es lo que hago y lo que digo", contesta.

Lo que hace es difundir información secreta robada. Lo que dice en sus últimas entrevistas es que ha desarrollado la teoría de lo que él llama "periodismo científico"; esto es, periodismo que va acompañado por la documentación correspondiente para que los lectores puedan corroborar por sí mismos, objetivamente, si el periodista está diciendo la verdad. Sus críticos señalan que el periodismo siempre se valió de documentos, y mucho más desde que estalló Internet. Assange también viene hablando de la idea de "gobierno transparente", un gobierno que pone todos sus actos en la red y así evita filtraciones de hackers como Assange. El año pasado Canadá y Gran Bretaña presentaron distintas iniciativas de gobierno transparente pero hasta ahora no han hecho mucho más que anunciarlas. Otro tema que interesa a Assange es la propagación de información. Habiendo estudiado física y matemática en la Universidad de Melbourne, Assange aplica principios de esas ciencias para estudiar el impacto multiplicador de los medios de comunicación. Pero todo eso ya salió en los diarios. Lo mismo que su intrincada arquitectura informática para evitar que el gobierno de los Estados Unidos prohíba sus operaciones. Y su contrato millonario para escribir un libro, con el que le paga a sus abogados. Y su tormentosa relación con los principales diarios del mundo. Ni hablar de las historias que se escribieron a partir de los documentos filtrados.

Agarro una galletita de limón y se la muestro. "Quiero escribir acerca de esto", le digo.

Se queda pensando. "Lo que podemos hacer es una entrevista por teléfono", me contesta finalmente. "Podemos hablar de la misión de Wikileaks y de la importancia de Wikileaks para la Argentina. Llamá a tu contacto y pedile mi número porque lo cambio todas las semanas."

Salgo a fumar otro pucho, me pierdo y aparezco sin querer en el cuarto de Assange. Al igual que el otro cuarto, éste también es oscuro y despojado, con un ventanal que da al jardín y una laptop sobre la mesa. Me doy cuenta de que me equivoqué recién cuando veo la chimenea encendida, justo cuando aparece una empleada de Wikileaks y me saca presurosa, mientras Assange va entrando por la otra puerta.

Llega la hora de tomar el tren de las ocho y me avisan que mi visita está terminada. Pregunto si me puedo despedir de Assange y al rato aparece. Me acompaña hasta la puerta de la cocina.

"Tené cuidado. Este lugar está lleno de espías", me advierte mientras me ofrece su mano, suave y fría. Las mismas dos empleadas que me fueron a buscar me llevan de vuelta a la estación ferroviaria de Beccles, un pueblito distante de Ellington Hall unos cinco minutos en auto. Faltan quince minutos para que llegue el tren y 190 kilómetros para llegar a Londres. La estación está cerrada y el andén, vacío.

Medianoche en Londres. Alquilo un cuarto en Paddington y prendo el televisor. Acaba de empezar la revolución egipcia. La BBC entrevista a Bill Keller, editor ejecutivo de *The New York Times*. "En tanto los documentos que publicamos sobre Túnez fueron decisivos en la caída de Ben Alí y los egipcios declararon que su inspiración fue la revuelta de Túnez, podría decise que los cables de Wikileaks han tenido una incidencia fundamental sobre lo que está pasando en el mundo árabe", declara.

Assange ha proclamado muchas veces que su objetivo es usar la transparencia para corregir injusticias. Podrá tener la horas contadas, como dicen algunos, pero mientras tanto no le va tan mal.

A | AMIA

El 1º de noviembre de 2006, una semana antes de que el juez federal Rodolfo Canicoba Corral odenara la captura de ocho ex funcionarios iraníes y un libanés por el atentado contra la AMIA, el fiscal de la causa, Alberto Nisman, le anticipó el fallo a la embajada de los Estados Unidos y le precisó que la decisión de juez era inminente. Tres semanas después del fallo, Nisman volvió a llamar a la embajada para agradecer el apoyo público y privado que le había brindado el gobierno estadounidense a la investigación y para quejarse de que el gobierno argentino no se hubiera expresado de la misma manera.

Un año y medio más tarde, en mayo de 2008, Nisman se contactó con la embajada de los Estados Unidos para "disculparse" por no haber avisado que iba a pedir la captura del ex presidente Menem por presunto encubrimiento en la causa. Veinte días después volvió a contactarse con la embajada para explicar el pedido de captura de Menem, según una serie de tres cables diplomáticos confidenciales obtenidos por Wikileaks. A lo largo de las cuatro reuniones entre el fiscal y los funcionarios estadounidenses, de las que dan cuenta los cables, Nisman presentó informes detallados de su investigación judicial del atentado. Los estadounidenses lo felicitaron reiteradamente y lo alentaron a seguir adelante con la llamada "pista iraní" aunque no mostraron entusiasmo, sino más bien preocupación, por el desarrollo de la llamada "pista siria" que involucraría a Menem.

El primer cable de la serie, que anticipa la decisión de Canicoba Corral, está firmado por el encargado de Negocios, Mike Matera. Arranca con el agradecimiento del fiscal a la embajada y al gobierno de los Estados Unidos "una vez más por el apoyo a sus esfuerzos en la investigación y el pedido de procesamiento" de los iraníes la semana anterior.

El fiscal agregó que seguía trabajando algunas puntas, sobre todo en la Triple Frontera, y trascartón anunció la inminente decisión del juez. Dice el cable:

Nisman dijo que pensaba que el juez Rodolfo Canicoba Corral podría emitir su fallo, o sea ratificar el dictamen del fiscal, y librar órdenes de captura para seis imputados, tan pronto como este viernes… Nisman dijo que el fallo podría demorarse algunos días, pero que en todo caso era inminente.

Para el diplomático estadounidense, la noticia que le estaba dando Nisman demostraba que el gobierno argentino apoyaba la investigación judicial:

Si Canicoba Corral ordena las capturas el viernes, o temprano la semana que viene, será una clara indicación de que el gobierno no ha intentado frenar o interrumpir el proceso, y al no hacerlo le han dado su aprobación tácita al juez para que avance.

El diplomático dijo que sus fuentes describían a Canicoba Corral como un "peso liviano" que había delegado la investigación en el fiscal porque no quería meterse en problemas. Sin embargo, agregó que los veloces e inesperados avances en la causa eran motivo suficiente para entusiasmarse con un acercamiento al gobierno argentino.

Con los eventos moviéndose más rápido de lo esperado, la embajada ahora puede contactar al gobierno argentino con más lógica acerca de los próximos pasos que anticipa el gobierno y coordinar esfuerzos en foros locales e internacionales para presionar a Irán y Hezbolá.

El segundo cable, fechado el 27 de noviembre de 2006, está firmado por el embajador Earl Anthony Wayne. El documento evidencia el delicado equilibrio que debió mantener el gobierno argentino para no hacer de la causa AMIA un capítulo más del enfrentamiento entre los Estados Unidos e Irán.

Nisman le agradeció al embajador por el valioso apoyo del gobierno de los Estados Unidos y las declaraciones públicas de apoyo… Nisman dijo que le hubiera gustado recibir una muestra similar de apoyo de su propio gobierno.

Sin embargo, para Wayne el silencio del gobierno argentino era entendible. Por eso le contestó a Nisman con una pregunta:

¿Qué pensaba Nisman de algunos informes de la prensa local, que coincidían en describir su informe (con el que sustentó los pedidos de captura) como un refrito de la investigación anterior, basada en archivos de inteligencia y testigos no confiables?

"Nada que ver", contestó Nisman. Ya le había respondido "silenciosamente" a los autores de esos artículos, agregó.

"Defendió con mucha fuerza la investigación, su informe y la credibilidad de sus pruebas y testigos." De todos ellos, Nisman sólo nombró a uno, el "alto funcionario iraquí" Bani Sadr. Sin embargo, el único "alto funcionario" con ese nombre que aparece en Google es iraní, no iraquí. Fue el primer presidente de la Revolución Islámica y trece años antes del atentado a la AMIA partió de Irán para exiliarse en París.

La conversación continuó con la decisión de Interpol de no extender los pedidos de captura hasta no escuchar los argumentos de Irán y la Argentina. Wayne advirtió que haría falta un gran esfuerzo de lobby conjunto entre los Estados Unidos y la Argentina para convencer a Interpol, y Nisman contestó que ya estaba trabajando en el tema con Canicoba Corral y con funcionarios de la Cancillería.

Cuatro meses más tarde, tras un intenso pero discreto trabajo de lobby conjunto de la Argentina y los Estados Unidos, el comité ejecutivo de Interpol homologó seis de las nueve órdenes de captura que había librado el juez argentino.

En el tercer cable de la serie, el embajador Wayne da por hecho que el atentado de la AMIA fue cometido por Hezbolá, una organización islamista chiita con sede en el Líbano, país donde forma parte de la coalición del gobierno. Hezbolá recibe apoyo de los gobiernos de Siria e Irán y ha sido declarada organización terrorista por Israel, los Estados Unidos y la Unión Europea, pero no por la Argentina.

El cable tiene como disparador las "disculpas" de Nisman por haber pedido la captura de Menem sin avisarle a los estadounidenses. Dice Wayne:

El fiscal especial para el caso AMIA, Alberto Nisman, llamó a la embajada para disculparse por no haberle anticipado que pediría la detención del ex presidente Carlos Menem y otros ex funcionarios gubernamentales y judiciales por presunto encubrimiento/interferencia en la investigación de la conexión local del bombardeo terrorista del centro comunitario judío AMIA, ejecutado por Hezbolá en 1994.

El embajador dijo que Nisman estaba "especialmente interesado en disculparse" por haber hecho el anuncio durante la visita a la Argentina del director del FBI, John Pistole, que se había reunido el mismo día del anuncio con la presidenta Cristina Kirchner. Escribió el diplomático:

Nisman dijo varias veces que no pensó que la visita se conectaría con su anuncio. Dijo que pedía muchas disculpas y que agradecía el apoyo y la ayuda del gobierno de los Estados Unidos y que de ninguna manera quería socavar eso.

El cable dice que la decisión de Nisman sorprendió a la embajada porque dos semanas atrás el agregado legal (FBI) le había explicado al fiscal que el interés principal de los Estados Unidos estaba en "quién llevó adelante el ataque y quién lo apoyó", una manera elegante de referirse a los iraníes.

El embajador reveló en el cable que el gobierno estadounidense viene cumpliendo tareas de asesoramiento al fiscal argentino sobre cómo debe orientar la causa:

En los últimos días, funcionarios del Departamento de Legales de la embajada le han recomendado a Nisman que se enfoque en los perpetradores del ataque y no en el posible desmanejo de la primera investigación. Semejante acción sólo confundiría a los familiares de las víctimas y distraería la atención de la caza de los verdaderos culpables.

El fiscal le explicó al embajador que no le había quedado más remedio que pedir las capturas después de una reciente desclasificación de documentos secretos por parte de la Secretaría de Inteligencia del Estado (SIDE).

Por ejemplo, dijo que [los documentos] mostraban que funcionarios del gobierno argentino habían estado en contacto con el cónsul legal iraní Moshen Rabbani, así como con varias cuestionables figuras islámicas argentinas de origen sirio. Nisman dijo que la comunidad judía había presionado mucho para que avanzara con los procesamientos.

A continuación, Nisman explicó que el gobierno argentino había sido advertido de que procesaría a Menem esa semana, dice el cable.

Wayne no pareció muy convencido con las explicaciones de Nisman sobre el oportunismo de su dictamen ni sobre las evidencias que había reunido contra el ex presidente.

Una alta fuente de la Cancillería discutió el caso con [un funcionario de la embajada] el 23 de mayo [de 2008]… [La fuente] no descartó un posible ángulo político en la decisión de Nisman de presentar cargos. Notó que Nisman, en su opinión, "depende completamente de Alberto Fernández" [jefe de Gabinete] y obedece las órdenes de Fernández sin chistar, y no descarta que el momento elegido para el anuncio "fuera una operación política ordenada por Fernández".

El informante de la Cancillería argentina acusó a Nisman de haber cajoneado la investigación de la llamada "conexión local".

La fuente señaló que Nisman tenía información de la "conexión local" desde hace años pero no había hecho nada. Hizo notar que no había visto nada nuevo sobre el posible rol de Menem en el caso. Preguntado si pensaba que los cargos contra Menem se basaban en los hechos, dijo que no podía saber a ciencia cierta pero opinó que era difícil creer que "Menem podría haber sido tan estúpido".

A continuación, Wayne cita al asesor de la Delegación de Asociaciones Israelitas Argentinas (DAIA), Alfredo Neubuger, diciendo que no había visto nada nuevo en el expediente como para acusar a Menem. El representante de la DAIA tampoco demostró demasiado entusiasmo por los demás avances en la causa.

El funcionario [de la embajada] señaló que el presidente de la DAIA, así como el presidente de la AMIA, habían hecho declaraciones públicas apoyando las acciones de Nisman. Neubuger dijo que no tenían otra alternativa que apoyar públicamente cualquier acción que implicara un avance en la causa. Dijo, sin embargo, que los líderes de la DAIA estaban muy preocupados porque el caso AMIA estaba siendo utilizado, una vez más, para consideraciones de política doméstica y que también les preocupaba el aspecto internacional del caso y las notificaciones de Interpol.

Para el embajador, la "jugada política" de Nisman no había dado los resultados que el gobierno buscaba. "Si, como muchos sospechan, el anuncio de Nisman fue un intento de desplazar la huelga de los granjeros [sic] de las tapas de los diarios, han fracasado miserablemente", concluyó Wayne.

En el último cable de la serie, fechado el 27 de noviembre de 2008 y también firmado por Wayne, Nisman le anuncia que no seguirá investigando la "conexión local" y que le había entregado su investigción al juez federal Lijo, que lleva adelante una causa conexa por el encubrimiento en la primera investigación de la AMIA. Los funcionarios de la embajada volvieron a reprocharle su interés en la llamada "pista siria", que aparece como alternativa a la supuesta culpabilidad de los iraníes. Escribió el embajador:

> Nisman negó que sus acciones estuvieran motivadas políticamente, y describió con cierto detalle la evidencia que apoya sus conclusiones. [...] Insistió en que la dimensión del encubrimiento, con los individuos y entidades involucradas, sólo podía ocurrir con el conocimiento de Menem.

> Wayne no le creyó ni una palabra.

> Interesantemente, Nisman dijo que su investigación no había descubierto ningún motivo para que el presidente Menem orquestara el encubrimiento de la supuesta participación de [el imputado] Kanoore Edul, más allá de la personalidad generosa de Menem y su predisposición para ayudar a sus amigos...

> Volviendo a la reunión, los funcionarios estadounidenses de la embajada le dijeron a Nisman que se dejara de embromar con la llamada "pista siria", señala el cable diplomático.

> Funcionarios de la embajada señalaron que las acciones de Nisman no parecían motivadas por ninguna información nueva pero estaban basadas en un refrito de viejas teorías sobre la "conexión siria" y podría complicar los esfuerzos internacionales para llevar a juicio a los imputados iraníes.

Al advertir el malestar de los diplomáticos estadounidenses por el pedido de captura de Menem, Nisman les aseguró que no iba a insistir con sus averiguaciones acerca de la "conexión local". Dijo que le había entregado esa investigación al juez Lijo y que de ahora en más se dedicaría a seguir la recomendación que le habían hecho los funcionarios de los Estados Unidos. Escribió Wayne:

> Nisman aseguró que ya no tendría ningún rol en ese aspecto del caso [la investigación de la conexión local] y que continuaría enfocado en descubrir nuevas pistas y fortalecer las pruebas contra los iraníes.

El pedido de captura de Menem aún no pudo ser evaluado por la Justicia federal porque el ex presidente de origen riojano no ha sido despojado de sus fueros como senador nacional por su provincia. En octubre de 2009, Lijo lo procesó por encubrimiento y, en febrero del año pasado, la Cámara Federal elevó el expediente a juicio. Menem compartirá el banquillo de los acusados con su ex jefe de espías, Jorge Anzorreguy, con el juez destituido por irregularidades en la causa AMIA, Juan José Galeano, y con el ex jefe policial de Macri, Jorge "el Fino" Palacios.

A | Antonini

Guido Alejandro Antonini Wilson, el protagonista del llamado "valijagate", declaró a la justicia estadounidense, hace dos años, que tenía una relación financiera, real o potencial, con la presidenta argentina Cristina Kirchner, con el ex presidente ahora fallecido Néstor Kirchner y con el presidente venezolano Hugo Chávez.

Según un cable de mayo de 2009, filtrado por Wikileaks, Antonini Wilson incluyó a los mandatarios de la Argentina y de Venezuela y al ministro argentino de Planificación, Julio De Vido, en unas listas con más de cien deudores y acreedores al presentarse en bancarrota en un juzgado del sur del estado de Florida. El cable agrega que la Casa Rosada contrató un abogado para "representar los intereses del gobierno de la Argentina" en la quiebra.

En el cable, el gobierno y la embajada muestran su preocupación por el impacto que la información podría tener en la Argentina. La noticia eventualmente se conoció pero la repercusión fue mínima.

Antonini Wilson es un joven empresario venezolano-estadounidense, residente en Miami y amante de los autos veloces. Había saltado a la fama en diciembre de 2007 cuando fue interceptado junto con un grupo de funcionarios argentinos y venezolanos por empleados de la Aduana de Aeroparque mientras cargaba una valija con ochocientos mil dólares.

Días después del descubrimiento de la valija, previo paso por la Casa Rosada, Antonini Wilson llegó a Miami y denunció ante el FBI que unos espías venezolanos lo estaban acosando. En la causa judicial que abrió el FBI contra los agentes venezolanos, Wilson declaró que la valija tenía como destino el financiamiento de la campaña de Cristina Fernández de Kirchner. El caso desató un conflicto bilateral cuando la presidenta electa, a horas de asumir el gobierno, acusó a la administración de George W. Bush de armar una "operación basura" para perjudicarlos a ella y a Chávez.

Los cables de Wikileaks muestran que la embajada trabajó duro durante más de dos meses para reparar el daño en las relaciones bilaterales hasta que la presidenta Kirchner y el entonces embajador Earl Anthony Wayne acordaron, luego de cuatro reuniones privadas, bajarle el perfil al desencuentro.

Según el cable de 2009, cuando se enteró de la bancarrota de Antonini Wilson y el involucramiento del matrimonio Kirchner, el secretario Legal y Técnico del gobierno argentino, Carlos Zannini, mandó un emisario a la embajada para que los diplomáticos estadounidenses no se vieran sorprendidos ante una eventual requisitoria de la prensa local. El cable agrega que la noticia causó preocupación en el gobierno argentino y en la sede diplomática: ambos temían que un resurgimiento del caso volviera a dañar las relaciones que tanto había costado arreglar.

Arranca el cable:

La presidenta Cristina Fernández de Kirchner, el ex presidente Néstor Kirchner y el ministro de Planificación Julio De Vido fueron nombrados como "partes interesadas" el 13 de abril en la declaración personal y voluntaria de bancarrota en Florida del protagonista del "escándalo de la valija" Alejandro Antonini Wilson (A-W).

Un escrito suplementario del Capítulo 7 (bancarrota) a ser presentado por el abogado de A-W el 20 de mayo posiblemente proveerá más detalles sobre si A-W reclamará una deuda o detallará una relación de acreedor con la pareja presidencial. Según un medio estadounidense, otro pedido de bancarrota corporativa presentado el 17 de abril por A-W enumeró al presidente Hugo Chávez y a la presidenta Cristina Fernández de Kirchner como "acreedores sólo para ser notificados". Según el fiscal general Dan Mulvihill, el jucio de bancarrota de A-W es uno de los muchos casos civiles que involucran a A-W y otros acusados en la parte penal de este caso.

Antonini---21 de mayo del 2009

C O N F I D E N T I A L BUENOS AIRES 000598

SIPDIS

E.O. 12958: DECL: 05/21/2029
TAGS: PREL, SNAR, KCOR, KJUS, PGOV, CJAN, KFRD, VZ, AR
SUBJECT: (C) ANTONINI-WILSON BANKRUPTCY CASE NAMES
PRESIDENTIAL COUPLE AND PLANNING MINISTER AS INTERESTED
PARTIES

REF: BUENOS AIRES 532 AND PREVIOUS

Classified By: Ambassador E.A.Wayne. Reasons 1.4 (B,D)

Summary
----

1. (C) President Cristina Fernandez de Kirchner, former
President Nestor Kirchner and Planning Minister Julio De
Vido
were named as "interested parties" in an April 15
voluntary
personal Chapter 7 bankruptcy filing in Florida of
"Suitcase
scandal" principal Alejandro Antonini-Wilson (A-W). A
supplementary Chapter 7 filing by A-W's counsel due to
have
been released by COB May 20 will possibly provide more
details on whether A-W will claim debt owed or detail a

Fue el gobierno argentino el que le comunicó la noticia a la embajada estadounidense, prosigue el cable.

La embajada fue notificada de la bancarrota de A-W por medio del abogado particular Daniel Korn en nombre del secretario Legal y Técnico de la Presidencia, Carlos Zannini, para asegurarse de que la embajada no se viera sorprendida por la posible atención de los medios al nombramiento de la pareja presidencial como parte interesada. Tal atención mediática podría darle nueva vida a lo que se ha convertido en uno más de una larga lista de escándalos irresueltos del gobierno de la Argentina. Cuando el caso de la "valija" estalló, la presidenta Kirchner lo llamó una "operación basura" del gobierno de los Estados Unidos para desacreditar a su administración, y las relaciones bilaterales se tensaron durante meses. La embajada pide asesoramiento para desarollar una guía "por si pregunta" la prensa.

Más abajo, el cable aporta detalles adicionales de las presentaciones judiciales de Antonini Wilson.

El abogado privado Daniel Korn llamó al consejero económico el 20 de mayo para pedir una reunión privada sobre la declaración de bancarrota bajo el Capítulo 7 del protagonista del "escándalo de la valija", el ciudadano de doble nacionalidad venezolana y estadounidense Antonini Wilson. Korn dijo que había sido contratado por el procurador del Tesoro, Osvaldo Guglielmino, para representar los intereses del gobierno de la Argentina en el caso. Según Korn, A-W presentó el Capítulo 7 el 15 de abril en la Corte Federal de Miami (Caso Nº 0916850) e incluyó a la presidenta Cristina Fernández de Kirchner, al ex presidente Néstor Kirchner y al ministro de Planificación, Julio De Vido, en una larga lista de "partes interesadas". Estos nombres fueron revelados durante una reunión del 13 de mayo convocada por el síndico de la quiebra en Miami a la que asisitió Korn. Un informe más completo de estas partes interesadas, detallando cuáles son potenciales acreedores o deudores de A-W, sería dada a conocer por los abogados de A-W al final del día 20 de mayo, dijo Korn.

Dicha lista detallada, si es que se dio a conocer, no aparece en los cables filtrados por Wikileaks.

Según el cable de 2009, al darle aviso a la embajada de los sucesos en Miami, el enviado de Zannini se permitió ironizar sobre la supuesta imprevisión de la sede diplomática cuando estalló el escándalo de la valija.

Carlos Zannini, secretario Legal y Técnico de la Presidencia (y miembro del círculo íntimo de la pareja presidencial) le pidió a Korn, dijo él, que le informara a la embajada para que no sea sorprendida por cualquier posible atención mediática de este tema. Korn recordó el inicio del caso Antonini Wilson cuando "parecía que la embajada no había sido completamente informada por el Departamento de Justicia".

A continuación, el cable cita un medio estadounidense para decir que, según Antonini Wilson, la presidenta argentina y el presidente venezolano serían acreedores suyos, pero sin derecho a un reclamo monetario.

Un artículo del 17 de abril en el *South Florida Business Journal* señala que A-W ha presentado otro caso de bancarrota corporativa para su empresa Venuz Supply en el que nombra al presidente de Venezuela, Hugo Chávez, y a la presidenta de la Argentina, Cristina Fernández de

Kirchner, como acreedores para ser notificados, solamente, con $0 en reclamos.

Según el cable, la embajada consultó con el fiscal a cargo del caso de espionaje, quien dijo que lo mejor para el gobierno estadounidense era no involucrarse en los juicios civiles de Antonini Wilson.

Según el fiscal federal Dan Mulvihill, que habló con el consejero legal por teléfono, la bancarrota personal de A-W es una de muchas causas civiles que involucran a A-W y otros acusados en el caso federal del gobierno de los Estados Unidos, incluyendo a Franklin Durán. Mulvihill dice que se ha distanciado a propósito de estos casos civiles para no interferir con el caso criminal que se encuentra en etapa de apelaciones. Aconseja a otras agencias del gobierno estadounidense que hagan lo mismo.

El despacho diplomático cierra con la preocupación de la embajada por un posible rebrote del "valijagate" y con un pedido del embajador para que le aprueben lo que piensa decir si la prensa argentina lo consulta sobre el caso. La respuesta sería que la quiebra de Antonini Wilson es un tema privado en el cual el gobierno de los Estados Unidos no tiene nada que ver, dice el cable.

La posible atención mediática por el nombramiento de la pareja presidencial en el pedido de quiebra a título personal de Wilson podría darle nueva vida a este escándalo alguna vez prominente, que —siguiendo un largo juicio en Miami— pasó a formar parte de una larga lista de escándalos financieros no resueltos del gobierno de los Kirchner. Cuando el caso estalló en diciembre de 2007, la presidenta Kirchner lo llamó una "operación basura" del gobierno de los Estados Unidos para desacreditar a su administración, y las relaciones bilaterales sufrieron significativamente durante meses. Intentaremos prevenir otro cimbronazo vinculado a la valija en nuestra relación con la Argentina desarrollando una guía de prensa con la aprobación de Washington "por si preguntan", enfatizando el no involucramiento del gobierno estadounidense en este caso privado. Usaremos esa guía en caso de que esta historia se haga pública en la Argentina.

A final, la embajada no necesitó hacer uso de ninguna "guía de prensa" para enfrentar a los medios. La noticia de la bancarrota de Antonini Wilson fue difundida en junio de 2009 por el diario *La Nación* sin que se generaran grandes repercusiones. En el artículo, el periodista Hugo Alconada Mon no menciona a la Presidenta y especula que Néstor Kirchner aparece como acreedor eventual "quizás en un hipotético juicio por difamación que el ex mandatario pueda iniciarle [a Antonini Wilson]". El artículo se basa en documentos judiciales y no consigna reacción alguna del gobierno ni de la embajada.

B | Bilateral

Los cables de Wikileaks confirman que las relaciones entre la Argentina y los Estados Unidos no han cambiado demasiado desde el retorno de la democracia.

Hubo momentos de tensión, como la cumbre de Mar del Plata de 2005 cuando la Argentina votó en contra del tratado de libre comercio continental, y otros anteriores de mucho acercamiento, como la política de "relaciones carnales" durante el gobierno de Menem, incluyendo el envío de dos barcos a la primera Guerra del Golfo.

Pero siempre se respetó una serie de acuerdos estratégicos en el área de seguridad internacional, que es la prioridad principal de la política exterior estadounidense desde el fin de la Guerra Fría.

Esos son los temas que definen la relación bilateral con la Argentina, forjando una alianza con sus gobiernos que está por encima de las circunstanciales diferencias políticas o económicas, que suelen aflorar en temporadas electorales argentinas. Esto sucede porque el alineamiento con los Estados Unidos ha generado un fuerte sentimiento antiestadounidense en la opinión pública argentina, que persiste desde el gobierno de Bush. En los cables de Wikileaks los embajadores se lo pasan preguntando por qué ese sentimiento es tan fuerte cuando las relaciones con los gobiernos nacional y provinciales son tanto mejores.

Es que aún con los grandes cambios que vienen ocurriendo en la región a partir de la emergencia del liderazgo multilateralista de Brasil, lo que no cambia es el alineamiento argentino con el esquema de seguridad occidental que lidera los Estados Unidos y el apoyo estadounidense a los sucesivos gobiernos argentinos que vienen respetando esos acuerdos. Esto se ve claramente en los cables de Wikileaks sobre la visita de Thomas Shannon a la Argentina (véase "Shannon"). Muestran que en medio de la crisis agrícola de 2008, mientras dirigentes opositores desfilaban por la embajada para pedirle a Washington que aumentara sus críticas a la Casa Rosada, el subsecretario estadounidense para América Latina, Thomas Shannon, viajaba a la Argentina para fotografiarse con la Presidenta en señal de apoyo al gobierno, sabiendo que así se interpretaría. Muestra también cómo Shannon aprovechó ese espaldarazo a Cristina Fernández de Kirchner para pedirle, a cambio, que estuviera más activa en el esquema de seguridad regional, empujando temas de interés mutuo justamente porque existe una agenda compartida.

No se trata de una simple cuestión de imperialismo sino más bien de coincidencia de intereses. En los últimos años la relación de fuerzas de los Estados Unidos con la región ha variado mucho, y la Argentina ha logrado márgenes de autonomía impensados treinta años atrás.

Con el tiempo, los países de Sudamérica, incluyendo a la Argentina, fueron creando mecanismos regionales de seguridad como el Consejo de Seguridad de la Unión de Naciones Suramericanas (Unasur), que van desplazando poco a poco a los Estados Unidos de su autoasumido rol de policía del "patio trasero".

Esta tendencia gradual hacia una mayor autonomía regional en el área de seguridad tiene su correlato en el terreno político, con el protagonismo de la Unasur en la resolución de conflictos regionales que antes dirimía la

Casa Blanca, muchas veces con intervenciones directas, más la presencia de una Organización de Estados Americanos (OEA) más equilibrada y no tan dominada por los intereses de Washington.

También han crecido las diferencias en las relaciones comerciales, donde el surgimiento de las potencias emergentes del BRIC (Brasil, Rusia, India y China) abrió nuevos mercados para las exportaciones agrícolas argentinas, cubriendo el vacío dejado por los Estados Unidos (y también por la Unión Europea), primero por las guerras en Asia y después por el estallido de la crisis financiera mundial.

En este escenario regional cambiante, los acuerdos de seguridad con los Estados Unidos le han permitido a la Argentina desplegar una política exterior independiente durante los gobiernos de Néstor y Cristina Kirchner sin poner en riesgo su condición de "gran socio" de Washington, tal como lo definió el embajador Wayne en un cable de 2008.

El Mercado Común del Sur (Mercosur), Honduras, Colombia, Venezuela, la Organización Mundial del Comercio (OMC) y, últimamente, el no apoyo al bombardeo de Libia, son algunos ejemplos de instancias en las que la Argentina y los Estados Unidos tomaron sendas divergentes.

También hubo coincidencias importantes entre ambos países en los últimos años, por ejemplo en las cumbres del G20, en la defensa de la políticas anticíclicas para salir de la crisis y la oposición a las recetas fiscalistas que favorecieron los países de Asia y Europa.

En ese juego de acuerdos y diferencias con los Estados Unidos, la Argentina nunca cruzó la raya en materia de seguridad, y por eso nunca llegó a un enfrentamiento abierto o una ruptura de relaciones. La confluencia de intereses en materia de seguridad internacional se acentuó con el tiempo a partir de dos hechos puntuales: el atentado a la AMIA en 1994 y el ataque a las Torres Gemelas en 2001.

El primer hecho consolidó el alineamiento. Irán es enemigo de los Estados Unidos, y la Argentina acusa a funcionarios iraníes de haber cometido el atentado contra la mutual judía y contra la embajada de Israel en 1992.

El segundo hecho jerarquizó los acuerdos de seguridad entre Washington y Buenos Aires. El 9-11 hizo de la "guerra al terrorismo" no sólo la principal prioridad de la política exterior estadounidense sino el objetivo casi excluyente. En ese marco, la cooperación con su principal aliado contra el terrorismo islamista en Sudamérica se tornó más urgente y prioritaria para la Casa Blanca.

El acuerdo no tiene forma de documento firmado pero gira en torno de cuatro o cinco cuestiones puntuales: colaboración en la lucha contra el terrorismo, políticas de no proliferación nuclear, apoyo a la pista iraní en la investigación de la AMIA y despliegue de tropas argentinas en misiones de Naciones Unidas.

Incluye también una serie de convenios que en su momento criticó el ministro de la Corte Suprema, Eugenio Zaffaroni, para permitir el acceso de funcionarios estadounidenses a sectores clave del Estado argentino vinculados con la seguridad, como la Aduana, Migraciones y las fuerzas armadas y de seguridad nacionales y provinciales.

Esos acuerdos anteceden a los gobiernos de Néstor y Cristina Kirchner, pero las administraciones kirchneristas los han respetado.

Entre los ejemplos de esta colaboración que aparecen en los cables de Wikileaks se pueden mencionar el acuerdo firmado en 2004 para que la DEA y el FBI trabajen con las fuerzas de seguridad argentinas (véase "Porro"); la campaña conjunta para que Interpol homologue los pedidos de captura de los funcionarios iraníes por el caso AMIA en 2006 y 2007; las maniobras navales "Unitas" que se hicieron en el Mar Argentino en 2007; el curso de entrenamiento para tropas internacionales de Naciones Unidas que se hizo en suelo argentino en 2008; la estrecha coordinación de la misión militar de la ONU en Haití a partir de 2004; la participación de agentes federales argentinos en los cursos antiterroristas de la International Law Enforcement Academy (ILEA) en El Salvador entre 2004 y 2010; los cursos de la DEA y el FBI sobre narcotráfico y tráfico de personas para fiscales y agentes federales que se desarrollaron en Buenos Aires, Córdoba y Mendoza entre 2004 y 2008; el cambio de voto de la Argentina que permitió la elección de un secretario general proestadounidense en la Agencia Internacional de Energía Atómica de Naciones Unidas (AIEA); los votos argentinos en la AIEA a favor de las sanciones a Irán; la presentación en Washington en 2007 de un proyecto argentino, actualmente en marcha, para construir el cohete Tronador II, un vehículo espacial que permitiría poner satélites en órbita.

No parece casual que los dos incidentes diplomáticos con Washington ocurridos durante el gobierno de Cristina Kirchner se dispararan por sendas valijas interceptadas en la Aduana, un organismo sensible para el dibujo de seguridad de Washington.

Pero más allá de los chispazos, todos los gobiernos argentinos posteriores a la dictadura militar, tanto peronistas como radicales, han mantenido la alianza con los Estados Unidos basada en acuerdos de seguridad. Esos convenios surgen del alineamiento histórico de la burguesía argentina con Occidente y se reforzaron con los atentados terroristas sufridos. Mientras sigan en pie, la relación seguirá siendo buena, valija más, valija menos, y más allá de quiénes ocupen la Casa Blanca y la Rosada.

B | Boudou

El ministro de Economía y candidato a vicepresidente de la Nación, Amado Boudou, dijo que la Argentina quiere volver al Fondo Monetario Internacional (FMI) para "retomar una relación de treinta años interrumpida en 2006" y se describió a sí mismo como "descaradamente pro estadounidense".

Según un cable filtrado por Wikileaks, las definiciones del ministro tuvieron lugar en noviembre de 2009 durante una reunión con un grupo de diplomáticos de la embajada de los Estados Unidos para hablar sobre las negociaciones con el Club de París.

Pese a que un año después la presidenta Cristina Fernández de Kirchner anunció que el Club de París había accedido a negociar sin la intervención del Fondo, en su reunión con los diplomáticos estadounidenses, Boudou expresó nostalgia por los viejos tiempos en los que el FMI era el prestamista preferido de la Argentina, y ésta, su mejor cliente.

Preguntado sobre cuáles eran los planes respecto del FMI y el Club de París, Boudou contestó que el gobierno de la Argentina quería avanzar con ambos, empezando con el Fondo Monetario Internacional en el primer trimestre de 2010, tras un acuerdo con los bonistas *holdouts* [aquellos que no entraron en el canje de deuda de 2005]. Destacó que la Argentina quería relanzar la relación que había tenido con el Fondo antes de romper lazos en 2006. La pregunta era cómo encontrar el espacio político para vincularse.

En su encuentro con los representantes de los Estados Unidos, el ministro contó que le encanta esquiar y surfear en ese país y que es fanático de la liga profesional de fútbol americano, pero que en público tenía que guardar discreción acerca de esas preferencias.

A lo largo de la reunión, Boudou se describió a sí mismo como descaradamente pro estadounidense y aseguró que los Estados Unidos es donde todavía le gusta pasar sus vacaciones, pero agregó que tenía que tener cuidado de hacerlo con bajo perfil público... Boudou dijo que le gusta esquiar cada invierno en Aspen y surfear en San Diego. Se describió a sí mismo como un admirador de la Liga Nacional de Fútbol. En la reunión, Boudou habló más inglés que en cualquier otra ocasión que lo hayamos visto.

Los diplomáticos no parecieron conmovidos ante semejante confesión. Dice el cable firmado por la embajadora Vilma Socorro Martínez:

Hasta ahora, más allá de la renegociación con los *holdouts*, su familiaridad con los Estados Unidos se manifiesta en la facilidad con que se relaciona con sus interlocutores estadounidenses pero no en las políticas económicas que ha seguido su gobierno populista.
Sin embargo, se mostraron interesados en la negociación con los *holdouts*. El ministro detalló los pasos que

tomaría la Argentina y destacó la importancia de aislar a los fondos buitre.

Los describió como "ni estadounidenses ni argentinos". Argumentó que eran inversores *offshore* que mantenían su dinero en paraísos fiscales y que no empleaban a nadie.

```
Boudou—5 de noviembre del 2009

C O N F I D E N T I A L SECTION 01 OF 03 BUENOS AIRES
001198

SIPDIS

DEPT PLEASE PASS TO TREASURY FOR NLEE/LTRAN/WLINDQUIST;
SAO
PAULO FOR WBLOCK

E.O. 12958: DECL: 11/04/2019
TAGS: ECON, EFIN, EIND, EINV, PINR, PREL, ETRD, AR
SUBJECT: ARGENTINE ECONOMY MINISTER: GOA LOOKING FOR U.S.
SUPPORT

REF: (A) BUENOS AIRES 1161 (B) BUENOS AIRES 976

Classified By: Ambassador Vilma Martinez for reasons 1.4
(B) and (D)

1.  (SBU) Summary:  In the Ambassador's introductory call
on
Minister of Economy Boudou, the two discussed the status
of
the GoA's latest offer to the bond "holdouts,"
discussions
with the IMF and Paris Club, and U.S. investment in
Argentina.  Boudou was confident of a successful deal with
the holdouts, although he stressed the need to isolate
the
"vulture" funds that opposed the deal.  These will be
followed by negotiations in 2010 with the IMF and Paris
Club,
eventually leading to Argentina's reaccess to
international
credit markets.  Boudou also asked that Argentina be
included
in the itinerary of any visit by President Obama to South
America.  End Summary.
```

Después de pedir la ayuda de los Estados Unidos con el Club de París, el ministro dijo que a la Argentina le interesaba atraer inversiones directas más que obtener crédito externo. Agregó que las empresas estadounidenses deberían aprovechar la oportunidad.

Citando a General Motors, Ford, Kraft y Walmart como ejemplos de compañías de ese país con grandes inversiones en la Argentina que crean miles de empleos, Boudou dijo que el gobierno de la Argentina quiere trabajar con su par de los Estados Unidos en políticas y programas para alentar más inversión. Dijo que no era contradictorio proteger el empleo y también la inversión.

El ministro aprovechó la reunión para pedirle a los diplomáticos que hicieran fuerza para que Obama incluyera a la Argentina en su próxima gira por la región, algo que finalmente no sucedió. Señala el cable:

Argumentó que la Argentina va hacia un enfoque de la economía internacional más cooperativo y orientado hacia los mercados, y que una visita podría acelerar la tendencia al cambio.
[...]
También aseguró que una visita aquí, a otro importante país del G20, encajaría con la visión global colaborativa que tiene Obama.

Para cerrar el cable, su autora concluye que Boudou, más que un enamorado de los Estados Unidos, es un político hiperpragmático:

La habilidad política de Boudou se refleja en las tres fotos que exhibe en su biblioteca. Una muestra a la presidenta Cristina Fernández de Kirchner (CFK) sola; en otra, está él con CFK; en la tercera, Boudou posa su atenta mirada sobre el marido de CFK, el ex presidente y hombre fuerte del gobierno, Néstor Kirchner.

C | Capitalismo nacional

Ni chavismo ni neoliberalismo: capitalismo nacional. La idea no es nacionalizar todo pero tampoco dejar que las transnacionales manejen sectores estratégicos, sino "dejar hacer" en grandes sectores de la economía mientras el Estado interviene en los mercados de energía, agua y transporte. En esos sectores clave el gobierno busca alentar, por medio de mecanismos fiscales y regulatorios, el traspaso de empresas extranjeras a firmas argentinas o mixtas con gerenciamiento argentino. Este sesgo, que los críticos del gobierno suelen reducir a un "capitalismo de amigos", responde a la demanda de la opinión pública de mayor control estatal de la economía y guarda similitudes con la política que aplicó Francia entre 1960 y 1980.

Así describe la embajada estadounidense la estrategia de desarrollo de los gobiernos de Néstor y de Cristina Kirchner en un cable de junio de 2008 filtrado por Wikileaks. El autor del despacho se dedica a analizar lo que él llama la "argentinización" de la economía, tras la tendencia inversa durante la década neoliberal previa.

El proceso de privatizaciones es ampliamente considerado por el gobierno de la Argentina y por el público como completamente errado. La sabiduría popular lo describe como una sucesión de negocios turbios para las

61

empresas que se beneficiaron, muchas veces con subsidios oficiales. Será justo o injusto, pero el proceso se ha juntado con el rechazo del gobierno de la Argentina y del público al modelo "neoliberal" y al "Consenso de Washington".

El cable dice que el proceso de "argentinización" no empezó con los gobiernos kirchneristas sino que arrancó con el mandato de Fernando de la Rúa y continuó con el gobierno de Eduardo Duhalde. Aclara que el gobierno argentino no ha buscado nacionalizar empresas, salvo en casos de necesidad extrema, por problemas de caja o corrupción en esas firmas.

Las administraciones de Néstor y Cristina Kirchner han señalado y continúan señalando su preferencia por un mayor control local de bienes económicos estratégicos, mientras afirman su fuerte compromiso con la "economía de mercado". Los Kirchner han sido acusados de "alentar" este proceso al complicar intencionalmente a operadores extranjeros con problemas regulatorios, congelamientos de tarifas o cobros de retenciones. Estas medidas le bajan el valor a las empresas y alientan a las empresas extranjeras a abandonar el mercado. Al mismo tiempo, el gobierno de la Argentina ha rechazado las renacionalizaciones en gran escala. Es importante señalar que, en los casos en los que el gobierno de la Argentina asumió el control de empresas previamente privatizadas, había preocupaciones legítimas sobre serias fallas o corrupción en las concesiones. En estos casos el gobierno de la Argentina se vio forzado a realizar cambios. Y no todas las intervenciones posprivatizaciones del gobierno de la Argentina fueron efectuadas por los Kirchner; los presidentes De la Rúa y Duhalde iniciaron dichas acciones.

El cable aclara que el proceso de "argentinización" se limita a los sectores especialmente sensibles, mientras que en las demás áreas el Estado se abstiene de intervenir, salvo para cobrar impuestos.

Hoy, las privatizaciones y el "neoliberlalismo" son generalmente vistos como un fracaso en su promesa de promover un crecimiento estable y equitativo. Una consecuencia es que el gobierno de la Argentina cree que tiene un mandato público de jugar un papel mayor y más directo en la economía. En este momento no hay ninguna indicación de que la Argentina se mueva hacia alguna forma de "renacionalización", en el sentido clásico de un copamiento sistemático de las industrias por parte del Estado. De hecho, en muchos sectores (telecomunicaciones, agricultura, minería, por nombrar algunos), el gobierno de la Argentina parece contento con (sólo) cobrar impuestos. Sin embargo, en otros sectores, particularmente utilidades tradicionales (agua, transporte y energía), el gobierno de la Argentina claramente está siguiendo una política de "argentinización".

El despacho diplomático incluye los siguientes ejemplos de esta supuesta tendencia:

- La cancelación del contrato con la francesa Thales para el manejo del espectro radioeléctrico, adjudicado durante el gobierno menemista en un proceso plagado de corrupción.
- El traspaso en 2007 de la quebrada empresa Aguas Argentinas, hasta ese momento controlada por la francesa Suez, a la estatal Agua y Saneamientos Argentinos (AYSA).

- La compra estatal en 2007 del 15% de Aerolíneas Argentinas, cuya nacionalización fue completada por ley del Congreso en julio de 2008, un mes después de la redacción del cable diplomático.
- La venta de la porción de Telecom Argentina en poder de France Telecom al grupo Werthein. El año pasado el mismo grupo adquirió también el paquete de Telecom Italia, convirtiéndose así en el accionista mayoritario de la empresa.
- La venta del 15% de Repsol-YPF al grupo Eskenazi en 2008. En marzo pasado la petrolera española puso en venta otro 11% de su participación en la subsidiaria argentina, reduciendo su participación total al 68%.
- La venta de Petrobras por parte de la empresa de transmisión eléctrica Transener al consorcio público-privado ENARSA-Electroingeniería, también en 2008.

El cable menciona el caso Edenor, que para la embajada es el más claro ejemplo de cómo el gobierno alienta el gerenciamiento nacional en el sector energético.

En 2005, la firma de inversión local Pampa Holding (con apoyo de capitales estadounidenses) compró el 65% de Edenor —la mayor distribuidora eléctrica de la Argentina— a Électricité de France (EDF) por 100 millones de dólares, una gran caída en relación con los 800 millones que EDF había pagado por el 45% de la empresa en 2001. (EDF querelló al gobierno de la Argentina en el tribunal internacional CIADI tras la crisis pero no pudo negociar un aumento de tarifas para volver a dar ganancias.) Poco después de la compra de Pampa (grupo Mindlin), Edenor obtuvo un aumento de tarifas del 28%. Algunos analistas especulan que el precio de compra fue tan bajo porque el gobierno favorecía la mayor participación local en el sector energético y demoró el aumento de tarifas hasta que la venta se concretó.

El cable equipara la estrategia kirchnerista con el nacionalismo francés de Charles de Gaulle y François Mitterrand:

Mientras esta tendencia intervencionista puede parecer excesiva, es tan sólo una de las muchas áreas en las que el gobierno de la Argentina cree que un rol ampliado es más necesario que en otros países donde las fuerzas del mercado tienen un rol predominante. Algunos ejemplos: la fijación de la tasa de cambio, precios máximos (y relativos) para muchos bienes y la regulación de sectores privatizados. (Para algunos de nosotros, esta política tiene similitudes con la política económica de Francia desde 1960, prolongada hasta entrados los años ochenta.)

El despacho, firmado por el embajador Earl Anthony Wayne, no quiere especular sobre las razones que impulsan la estrategia de desarrollo de los gobiernos kirchneristas. Puede ser por el deseo de implantar un "capitalismo de amigos" permeable a la corrupción, por el "oportunismo político" de aprovechar el sentimiento antiprivatizador que muestran las encuestas, o por un genuino "nacionalismo económico", dice el cable.

Más allá de las razones, está claro que "el gobierno y el público quieren una 'argentinización'", señala el despacho. Por esa razón, el autor recomienda a potenciales inversores extranjeros que busquen socios argentinos si quieren entrar, o seguir estando, en los mercados estratégicos.

Muchos observadores argumentan que los dueños locales aliados con el gobierno de la Argentina permiten que las empresas naveguen en esta economía política altamente regulada y personalizada mejor que los dueños extranjeros. De hecho, una cantidad de inversores de los Estados Unidos han apoyado a actores argentinos con capital en la compra de empresas clave. Varios empresarios locales han señalado que, a través de este proceso, han facilitado sustancialmente el ingreso de socios internacionales.

En su conclusión, el representante de los intereses de Washington aclara que los argentinos tienen derecho a elegir su propia estrategia de desarrollo, sobre todo si el gobierno y la opinión pública la apoyan. Pero advierte que el riesgo del camino elegido es que facilite la corrupción y desaliente la competencia y la inversión en los servicios públicos. "Si eso sucede, no podrán culpar a los extranjeros", remata, irónico, el autor del cable.

C | Cargill

En junio de 2008, en pleno conflicto entre el gobierno y las patronales del campo, el presidente de Cargill Argentina, Cristian Sicardi, fue a la embajada estadounidense a quejarse por lo que él llamó "el flujo creciente de regulaciones para incrementar el control del gobierno de la Argentina sobre las exportaciones agrícolas". La visita fue sigilosa, acorde con los tiempos que corrían: las grandes firmas agroexportadoras habían sido los grandes ausentes en el llamado "conflicto con el campo".

Según un cable filtrado por Wikileaks, lo que parecía molestar más al empresario era su falta de llegada al "círculo íntimo" de la presidenta Cristina Kirchner. El malestar es entendible porque la filial local de la multinacional Cargill es, hace décadas, parte de un oligopolio que junto con firmas como Dreyfus y Bunge y Born concentra gran parte de las exportaciones argentinas.

Arranca el cable que firma el embajador Earl Anthony Wayne:

Sicardi explicó que el gobierno de la Argentina está dictando nuevas regulaciones casi a diario para incrementar el control de las exportaciones agrícolas, con muchas regulaciones ilógicas. Está preocupado no sólo por el daño a las operaciones de la companía sino por el daño a largo y mediano plazo que el gobierno le está causando al atacar al altamente eficiente sector agrícola.

Conviene aclarar que, en el lenguaje del diplomático, "altamente eficiente" significa, entre otras cosas, que al sector le va muy bien.

El cable continúa con la queja por no tener llegada a la Presidenta.

Sicardi expresó su frustración por la falta de acceso de su empresa y de otros grandes exportadores a las figuras clave del gobierno. Señaló que en el gobierno de la Argentina las decisiones las toma un grupo muy chico y cerrado cercano a la presidenta Cristina Kirchner y a su marido Néstor Kirchner.

Y sigue con más frustración:

El gobierno de la Argentina está dictando nuevas regulaciones importantes sin consulta previa y las nuevas reglas son desarrolladas por personas que no entienden el sector. Representantes de su sector han sido incapaces de reunirse con contactos que tengan acceso a ese círculo íntimo y limitado.

A continuación, el empresario pasó a detallar las medidas que a su entender habían perjudicado a Cargill, como el achicamiento del período de embarque para evitar la especulación y los cambios en el sistema de registos de exportaciones, que empezarían meses después de la visita del empresario a la embajada.

Después de esta introducción, el empresario llegó al nudo del asunto: la embajada tenía que hacer algo, pero no podía nombrar a Cargill. Es que los pulpos exportadores habían sido los grandes ausentes del conflicto entre el gobierno y las patronales agropecuarias. Dos semanas antes de la visita del empresario a la embajada, Raúl Dellatorre se encargó de recordarlo en *Página/12*:

> Curioso y paradójico punto de llegada al que arriban las didácticas explicaciones de los dirigentes. Pero para nada ingenuo ni absurdo: es la lógica del planteo de los ruralistas desde que empezó el conflicto. Permanentemente han atacado la parte que queda en manos del Estado (impuesto), pero jamás aluden a la que se devora el comercializador que domina la mitad de la cadena, desde la tranquera hasta el barco. El dueño de las plantas de acopio, de los puertos privados, de los molinos y socio en la venta de fertilizantes y semillas. Tal es el caso, en toda la cadena, de Cargill y, en algunos eslabones, de Bunge, Dreyfus, Nidera y Aceitera General Deheza, grandes beneficiarios de la renta agropecuaria.

El presidente de Cargill Argentina también le pidió al embajador que hiciera lobby para que la pelea entre el gobierno y las patronales no afectara las ganancias de las exportadoras.

El prolongado paro está teniendo un fuerte impacto en la capacidad de Cargill para exportar (los grandes exportadores están trabajando al 50% de su capacidad) pero las nuevas regulaciones que se están dictando en medio del conflicto tendrán un impacto negativo en el largo plazo. Quería llamarle la atención al embajador sobre esto, por el daño a su compañía y en general a la economía argentina.

Claro que el presidente de Cargill Argentina no quería que se diera a conocer su desinteresada preocupación por el bienestar de "la economía argentina en general".

Ante la preocupación de que el gobierno argentino convirtiera a la compañía en un blanco, no estaba listo, sin embargo, para que Cargill fuera identificado pidiéndole a los Estados Unidos que intervenga.

La respuesta del embajador seguramente complació al empresario.

El embajador estuvo de acuerdo en elevar a funcionarios de alto nivel del gobierno la preocupación sobre el impacto extendido de las nuevas regulaciones (sin mencionar específicamente a Cargill). La naturaleza arbitraria de los nuevos requerimientos y el intento de cobrar impuestos retroactivamente puede socavar seriamente la inversión futura de empresas que están mirando a la Argentina, lo cual podría traer serias consecuencias para el crecimiento del país.

Además de la velada amenaza de no promover inversiones en el país a causa de las quejas de Cargill, el embajador le sugirió al empresario que hiciera uso de un instrumento legal disponible. "El embajador también señaló que el tratado de inversión bilateral le provee algunas garantías a la empresas estadounidenses", dice el texto.

En su comentario final, el embajador ofrece su particular visión del conflicto con las entidades rurales al hablar, con lenguaje bélico, de "daño colateral". Para Wayne la economía argentina estaba sufriendo. Más aún, las empresas estadounidenses con negocios en el país estaban sufriendo. No a causa de los cortes de ruta o del desabastecimiento sino porque Néstor Kirchner quería "poner de rodillas" a las patronales del campo.

Comentario: el extendido impasse entre el sector agrícola y el gobierno amenaza con tener un impacto negativo a largo plazo en la economía de la Argentina y las compañías de los Estados Unidos que operan aquí. La intención del ex presidente Néstor Kirchner de "poner al sector de rodillas" le está infligiendo un daño colateral severo.

C | Cavallo

En el verano de 2008, Domingo Felipe Cavallo "resucitó" luego de un largo autoexilio para advertir que la economía argentina estaba a punto de entrar en una hecatombe.

Según un cable diplomático estadounidense filtrado por Wikileaks, fechado en febrero de ese año, al comienzo de la crisis financiera internacional, Cavallo vaticinó un escenario casi apocalíptico para el futuro inmediato de la Argentina.

En una reunión con el entonces embajador Earl Anthony Wayne, el ex ministro de Economía de Menem y de De la Rúa dijo que debido a las erradas políticas de los gobiernos de Néstor y Cristina Kirchner, la Argentina era el país peor preparado de toda la región para afrontar la crisis financiera mundial. Advirtió que se venía "un largo período" de estanflación, o sea inflación sin crecimiento. La única salida posible para un país en esas condiciones era un arreglo con el Fondo Monetario Internacional, continuó el ministro. Pero esto no sucedería porque, aunque el gobierno tenía buenos economistas, Néstor Kirchner no los dejaba tomar decisiones. Sin un arreglo con el FMI, la única alternativa era una "venezuelización" de la economía, o sea una ola de nacionalizaciones, restricciones para comprar dólares y un mercado negro de la divisa estadounidense, redondeó Cavallo.

Como si esto fuera poco, las desgracias económicas llevarían a Cristina Fernández de Kirchner a renunciar a la presidencia, afirmó el padre de la convertibilidad. ¿Por qué? Porque, después de la derrota en las legislativas de 2009, Néstor Kirchner convencería a su esposa de que abandone la presidencia. Entonces asumiría Cobos, pero el vicepresidente no duraría mucho en la primera magistratura porque "grupos de choque" kirchneristas le harían la vida imposible y se vería obligado a llamar a elecciones anticipadas. Entonces Elisa Carrió y Cobos unificarían a la oposición y Carlos Reutemann sería el candidato de unidad que derrotaría fácilmente al candidato o candidata del kirchnerismo. Entonces las cosas empezarían a mejorar.

Aunque las predicciones de Cavallo estuvieron muy lejos de cumplirse y el ex ministro "no es creíble" para la opinión pública argentina, el autor del cable le escribió a sus responsables en Washington que el relato era, sin embargo, "verosímil".

Con el subtítulo "¿La resurrección de Cavallo?", el cable aclara que la reunión entre el ex ministro y Wayne fue discreta para evitar que la mala reputación del economista salpicara a la embajada. El despacho no menciona el lugar ni la fecha de dicho encuentro, información que no suele faltar en los cables diplomáticos estadounidenses.

Por primera vez desde su regreso a la Argentina a fines de 2006 tras un exilio autoimpuesto en la Universidad de Harvard, el embajador sostuvo una reunión formal (aunque de bajo perfil) con el controvertido, divisivo y extendidamente insultado ex ministro de Economía Domingo Cavallo. (Muchos argentinos lo encuentran al menos parcialmente responsable por el colapso económico de 2001/02...).

Cavallo reapareció en la escena pública porque "huele" la debilidad de los Kirchner, dice el cable de 2008, un año difícil para el oficialismo. Según el despacho, Cavallo pasó las primeras semanas de ese año vendiendo su escenario de catástrofe económica en medios locales y foros internacionales.

Como muchas otras notables figuras de la oposición que huelen la debilidad de la presente administración, Cavallo ha subido su perfil, dando más entrevistas y siendo cada vez más activo en su popular blog. Recientemente publicó un libro sobre la economía argentina con un título que se explica a sí mismo [*Estanflación*] con el cual emprendió el circuito de los programas de entrevistas para promoverlo y advertir sobre la crisis económica que se viene. También presentó un artículo ["Distorsionando lo micro para embellecer lo macro: el caso argentino"] en el Foro Internacional Financiero de 2008 en Beijing a mediados de noviembre.

El semblante del ex ministro causó una buena impresión en el embajador.

A Cavallo se lo vio entusiasta y rejuvenecido, determinado en rehabilitar su imagen, reputación y legado, reclamando nuevamente el rol de sabio de la economía.

Según Cavalllo, la depreciación del peso había puesto a la Argentina en una encrucijada y el país se encaminaba indefectiblemente hacia otro período de hiperinflación.

Mientras Brasil y otros países emprenden políticas anticíclicas y permiten la devaluación de sus monedas en respuesta a las condiciones externas adversas, el gobierno de la Argentina tiene muy poco espacio de maniobra para hacerlo sin provocar una fuga de capitales... Cavallo predijo que el gobierno de la Argentina verá un déficit fiscal este año. Dada la falta de crédito, el Banco Central (BCRA) tendrá que monetizar el déficit (imprimiendo pesos), dijo Cavallo, y esto resultará en más inflación, más presión para que el peso se deprecie y más fuga de capitales.

En esa situación, la única solución posible era retomar las recetas del Fondo Monetario Internacional, explicó Cavallo. "La solución evidente, argumentó, es hacer lo que están haciendo otros países con acceso fácil a los préstamos del FMI", dice el cable. Pero como en el gobierno están "locos", no van a arreglar con el Fondo, dijo Cavallo, acaso su único acierto como pronosticador en toda la reunión. Sin arreglo con el FMI, la única opción es el modelo del presidente venezolano Chávez, continuó el ex ministro.

La alternativa a no hacerse cargo de las deficiencias de las políticas económicas del gobierno de la Argentina y buscar el apoyo financiero del FMI, argumentó Cavallo, es la "venezualización" de la economía. En particular, predijo que el gobierno de la Argentina y el Banco Central impondrán límites a la compra de dólares y reaparecerán mercados de cambio paralelo.

De ahí a la hiperinflación hay sólo un paso, alertó Cavallo.

Dada la expectativa de que la Argentina sufrirá una contracción económica este año, la conclusión es que el país enfrenta un período prolongado de estanflación. Agregó que este escenario no es tan diferente del que la

Argentina enfrentó en los 70 y los 80, que terminaron en hiperinflación.

Muy lejos del colapso profetizado por el "sabio de la economía", la Argentina creció a un saludable 7% en 2008. En 2009 cayó a menos del 1% pero fue uno de los pocos países con crecimiento positivo en el peor año de la crisis mundial. En 2010 rebotó a más del 9% retomando el nivel de tasas chinas de la primera etapa de los gobiernos kirchneristas, y este año se proyecta un año de crecimiento aun mayor. No hubo déficit fiscal en 2008 ni en los años que siguieron. Y la inflación, más allá de las diferencias entre la medición oficial y las realizadas por consultoras privadas, se mantuvo a niveles constantes en los últimos años.

Las predicciones políticas de Cavallo demostraron ser casi tan acertadas como sus desafortunados pronósticos económicos.

Cavallo remarcó que "algunos" piensan que NK convencerá a CFK de que renuncie después de la mala elección que hará su administración en las elecciones de mitad de término (2009), dejando al vicepresidente Julio Cobos a cargo del gobierno. Argumentó que los "grupos de choque" (o de protesta), a los que se describió como peligrosos y potencialmente violentos, le harían la vida imposible a Cobos. En este escenario, dijo, la mejor opción sería que Cobos llamara a elecciones. La otra alternativa es que CFK se aferre al poder hasta las elecciones presidenciales de 2011, presidiendo sobre una economía deteriorada y un gobierno muy debilitado.

Cuando esto pase surgirán los liderazgos de Carrió y Cobos para unir a la coalición opositora, despejando el camino para la candidatura de Reutemann, imaginó Cavallo.

De cualquier manera, según predijo, asumirá una administración más fuerte y más pro globalización. Acerca de la oposición, Cavallo dijo que Cobos y Elisa Carrió serán figuras clave en el armado de la coalición, pero que el senador Carlos Reutemann (ex gobernador de Santa Fe) es la única figura unificadora.

De los pronósticos catastróficos, Cavallo pasó a una encendida defensa de su recordada creación, el corralito.

Entre las preocupaciones expresadas sobre la economía y el peligro de inquietud social, Cavallo proveyó justificaciones de sus propias acciones en 2001, que derivaron en la crisis financiera de diciembre de 2001 y en el default de deuda soberana.

En su comentario final, el autor del cable reconoce que en la Argentina las opiniones de Cavallo ya no son tomadas en serio.

Cavallo sigue siendo una personalidad polarizante en la Argentina y, por el momento, su presencia o influencia en el país es limitada. También está lejos de no tener culpa de los problemas económicos que sufrió la Argentina en la última década. Por lo tanto, sus críticas al actual gobierno tienden a no tener credibilidad para algunas audiencias argentinas.

Pero el autor del cable también le resta importancia a las opiniones de los argentinos que padecieron las políticas de Cavallo para concluir que sus argumentos suenan convincentes, especialmente, cuando habla de retomar las recetas del FMI.

Sin embargo, muchos de sus comentarios sobre la economía suenan verosímiles para el autor de este despacho, y también hay un creciente coro que coincide con él en que la mejor solución disponible para la encrucijada de la Argentina es arreglar con el FMI.

C | CFK

En comparación con Néstor Kirchner —e incluso con personajes relativamente menores de la oposición como, por ejemplo, Ricardo López Murphy—, los cables filtrados por Wikileaks no le dedican demasiado espacio a la Presidenta, o CFK en su jerga particular. No hay muchos cables que hablen de su personalidad, sus ideas, sus opiniones o su estilo de conducción. Y lo que hay no es muy halagador. Los cables la muestran como una persona dominada por su esposo y ansiosa por acercarse a los Estados Unidos, pero sin experiencia internacional. Le reconocen algunos buenos momentos, como la serenidad que demostró después de la derrota electoral del oficialismo en las elecciones legislativas de 2009, pero en general le endilgan las mismas críticas que le hacían a su marido: encerrarse en un círculo muy reducido de asesores, tomar decisiones cortoplacistas, no consensuar políticas con la oposición.

Parte de la razón de que los cables de Wikileaks hablen poco y mal de la Presidenta tiene que ver con el punto de vista de la embajada, claro, pero otra parte importante se relaciona con el momento en que fueron escritos los documentos. La serie empieza a mediados de 2004. Los despachos que cubren la presidencia de Néstor Kirchner, durante un período de gran popularidad del gobierno, por lo general hablan bien de las figuras del oficialismo. A ese período pertenece el único cable que describe a la Presidenta con algún detalle, y lo hace en términos positivos. El cable describe a los principales asesores de Néstor Kirchner y CFK, por supuesto, figura en primer lugar.

Cristina es la asesora más valiosa del presidente Néstor Kirchner, funcionando como su confidente cercana y su socia durante los últimos treinta años. Cristina Kirchner ha sido la principal persona que estimuló y motivó a su esposo a lo largo de su carrera política, especialmente en tiempos difíciles. Tiene también una gran influencia en decidir quién está y quién no en el círculo íntimo. Un empresario cercano al presidente Kirchner contó recientemente que cuando Kirchner era gobernador había aceptado, en principio, la oferta del ex presidente Duhalde para ser su jefe de Gabinete en 2002. Al día siguiente, después de hablarlo por la noche con Cristina, Kirchner llamó a Duhalde y declinó la invitación. Aunque Kirchner busca frecuentemente el asesoramiento de su esposa, un viejo contacto de Kirchner como Luis Corsiglia (economista, ex director del Banco Central) le contó al consejero político que Kirchner por lo general no la consulta en temas económicos… Cristina disfruta viajar a los Estados Unidos y se considera que tiene una mirada positiva del país. Sin embargo, nunca aprendió inglés, según explicó en un discurso reciente en la Universidad de Berkeley, porque es parte de una generación en la cual aprender inglés era visto casi como un defecto por eso de "Yankees, go home", que era la actitud prevaleciente en esa época. Cristina fue la principal instigadora de los primeros viajes de su marido a los Estados Unidos (Miami y Nueva York), donde le presentó sus extendidos contactos en la comunidad académica. También mantiene un contacto cercano con el ex presidente Carter y con la Fundación Carter. Cristina Kirchner le ha dicho al embajador que siempre está dispuesta a reunirse con él para hablar de temas de importancia para los Estados Unidos. Por sugerencia del embajador, Cristina se reunió con Carter en el Carter Center durante una visita a Atlanta para discutir la crisis política en Venezuela. Como resultado, Cristina jugó un rol positivo en alentar al presidente Néstor Kirchner para que presionara a Chávez en la realización del referéndum revocatorio y se reuniera con la Coordinadora Democrática opositora durante sus dos visitas en 2004 a Caracas. Cristina también condicionó cualquier visita a Cuba a poder traerse de vuelta a Hilda Molina y reunirse con las esposas de los disidentes encarcelados. Cristina es una fuerza por derecho propio a partir de su trabajo sin descanso como senadora por Santa Cruz, con la ambición de convertirse en senadora por la provincia de Buenos Aires, la más importante desde el punto de vista político, en 2005. No es tímida al expresar sus opiniones en el Senado. Su biógrafo, José Ángel Di Mauro, la describe como una pobre negociadora, prefiriendo el estilo confrontativo con sus oponentes. Ha chocado públicamente con muchas figuras políticas, incluyendo a Elisa Carrió, Hilda "Chiche" Duhalde, y el vicepresidente Daniel Scioli en el recinto del Senado. Di Mauro informa que el presidente Kirchner usó muchas veces esa personalidad para hacer que Cristina actuara como "policía mala" en conflictos políticos, permitiendo que él actuara de manera más conciliatoria. Se dice que nunca asiste a las reuniones del bloque peronista del Senado, dependiendo de sus aliados Miguel Pichetto y Nicolás Fernández para lograr que los demás senadores sigan la batuta kirchnerista. Cristina Kirchner nació en 1956 en La Plata, provincia de Buenos Aires. Cristina conoció a

Néstor Kirchner mientras ambos estudiaban Derecho en la Universidad Nacional de La Plata y se casaron en 1975. Los Kirchner tienen dos hijos. Cristina accedió a su primer cargo electivo cuando asumió como diputada en la Legislatura provincial de Santa Cruz en 1989. Fue elegida senadora nacional por Santa Cruz en 1995, pero debió dejar el Senado para asumir como diputada nacional en 1997 debido a un conflicto en el liderazgo del bloque del PJ. En 2001 Cristina Kirchner fue elegida otra vez senadora por Santa Cruz, cargo que mantiene. Se dice que es particular en su apariencia, gastando miles de dólares en la última moda y aplicándose inyecciones de silicona y extensiones de pelo para parecer más joven.

A excepción de ese cable, durante la presidencia de Néstor Kirchner la embajada casi no escribe sobre su esposa. No hay cables de sus viajes al exterior ni de su actuación en el Senado ni de su asesoramiento al entonces presidente. La embajada empieza a prestarle atención prácticamente cuando asume como Presidenta en diciembre de 2007 porque, hasta unas semanas antes de la elección, la embajada daba por hecho que el candidato oficialista sería Néstor.

Cuando asume la presidencia y la embajada pone su foco en ella, se suceden una serie de hechos que, por un lado, complican la relación con la sede diplomática y, por el otro, producen una fuerte caída en la popularidad del gobierno.

Entre 2007 y 2009 se acumulan en rápida sucesión el escándalo por la valija de Antonini Wilson, la crisis del agro, el voto no positivo de Cobos, la derrota oficialista en las legislativas y el contrapunto con el subsecretario estadounidense Arturo Valenzuela sobre la seguridad jurídica en la Argentina. Oliendo sangre, los habituales contactos liberales y neoliberales hicieron fila en la embajada para dar por muertos políticamente al gobierno y a CFK. La embajada le dedicó varios cables a esas opiniones y a las especulaciones sobre una posible renuncia de la Presidenta.

```
CFK--20 de enero del 2005

C O N F I D E N T I A L SECTION 01 OF 08 BUENOS AIRES
000141

SIPDIS

STATE FOR WHA/FO, WHA/BSC, WHA/EPSC, USOAS, PM, AND INR/
RA
NSC FOR TOM SHANNON, KIM BRIER, NILMINI GUNARATNE, DEL
RENIGAR
TREASURY FOR DAS NANCY LEE AND CHRIS KUSHLIS AND
USCINCSO FOR POLAD
PASS USTR FOR PETER ALLGEIER AND SUE CRONIN

E.O. 12958: DECL: 12/15/2014
TAGS: PGOV, PREL, AR
SUBJECT: ARGENTINA: KIRCHNER'S INNER CIRCLE


Classified By: Ambassador Lino Gutierrez for Reasons 1.4
(B) and (D)

------------------------
Summary and Introduction
------------------------

1. (C) This cable takes an in-depth look at President
Nestor
Kirchner's closest advisors.  It is based on interviews
with
the Ambassador, DCM, and other Embassy Officers who have
met
with members of Kirchner's inner circle, numerous
discussions
with Embassy contacts in the Argentine political
establishment, as well as biographies and press articles
written about Kirchner's key associates.  The goal is to
provide Washington with a better understanding of the
individuals with the most influence over President
Kirchner.
```

Encerrados en ese microclima fatalista, los analistas de la embajada no advirtieron el renacimiento del oficialismo a partir de 2009 con los triunfos del gobierno en el Congreso por el cierre de las AFJP, la reestatización de Aerolíneas Argentinas y la aprobación de la Ley de Medios. Para los cables de la embajada, sólo fueron espejismos, victorias tácticas de una mayoría legislativa en retirada y con fecha de vencimiento; lo que realmente importaba era que el gobierno de CFK no lograba remontar la caída de imagen que le había causado el conflicto con las patronales del campo.

Ésta es la conclusión que sacó la embajada de la estatización de los fondos de pensiones jubilatorias, aprobado por amplia mayoría en el Congreso en noviembre de 2008:

Mientras la desaceleración generalizada y el pánico que sucedió al anuncio de la nacionalización de las AFJP también han contribuido a la actual caída de la popularidad de los Kirchner, esos bajos índices prácticamente no han cambiado desde julio (fecha del voto no positivo de Cobos). Sin embargo, el declive en popularidad no parece haber inhibido la habilidad de los Kirchner para gobernar el país. Al contrario, el relativamente fácil pasaje de la ley provisional, que esencialmente legalizó la expropiación directa de bienes privados valuados en 10% del PBI, muestra que los Kirchner todavía controlan las palancas del poder político en la Argentina.

Cuando se aprobó la Ley de Medios casi un año más tarde, la reacción de la embajada fue similar: otra muestra de fuerza tardía de un kirchnerismo en retirada que no levanta en las encuestas. El cable de octubre de 2009 termina así:

No debería sorprender que los Kirchner pudieran forzar la aprobación de esa ley en el Congreso, donde todavía retienen el control en ambas cámaras. Para muchos observadores locales, el pasaje de esta ley demuestra, sin embargo, la renovada influencia política de los Kirchner, que sólo hace dos meses parecía irreparablemente debilitada. El hecho de que la ley haya pasado por el Congreso sin ser modificada indica el fracaso de una oposición facciosa, que hasta ahora no ha podido superar tácticamente a los Kirchner. Esta ecuación puede presagiar la aprobación de más leyes [...] a través de un Congreso "pato cojo" antes de que cambie de manos en diciembre. Lo que no cambia, sin embargo, es la impopularidad en la Argentina de Cristina Fernández de Kirchner y de su esposo Néstor. Las valoraciones negativas siguen superando por mucho a las positivas en los sondeos de opinión.

La embajada tampoco le prestó atención al espaldarazo político que significó el decreto para oficializar la Asignación Universal por Hijo, al que apenas le dedicó un párrafo, como cuarta noticia de la semana, en un rutinario cable con recortes de diarios.

La presidenta Cristina Fernández anunció el 29 de octubre la creación de un nuevo beneficio para niños. El plan, implementado por un decreto presidencial, apunta a todos los niños de la Argentina menores de 18 años cuyos padres están desempleados, trabajan en el "sector informal" o reciben menos que el sueldo mínimo de 1.500 pesos por mes. Pagará un beneficio de 180 pesos por cada hijo a los padres que tengan hasta cinco niños. En una movida para mejorar la salud y la educación, el plan del gobierno de la Argentina condiciona estos desembolsos a la presentación de ciertos certificados escolares y sanitarios. La Presidenta explicó que este programa le costará 10 mil millones de pesos por año al sistema provisional, que serán financiados por el sistema de seguridad social. Las fuentes de financiamiento no están claras.

Eso es todo lo que dice sobre la asignación universal el único cable referido al tema, fechado en noviembre de 2009.

Los cables destacaban una y otra vez que, pese a estos logros, los índices de aprobación que por entonces tenían CFK y su gobierno eran muy bajos. También en desmedro de la figura de CFK, varios dicen que era Néstor quien movía los hilos del gobierno detrás de escena, ante la supuesta pasividad de la Presidenta. En este cable de abril de 2008, al igual que en otros, la embajada dice que su "percepción" del supuesto "doble comando" se basa en informes periodísticos:

> Los diarios locales especulan que Néstor mantiene un peso importante en las decisiones políticas de la Argentina, provocando la descripción acuñada por el ex presidente Eduardo Duhalde del gobierno como "doble comando", un término muy usado por los medios. El hecho de que CFK mantuvo dos tercios del gabinete de su marido y todavía depende de su mismo círculo cerrado de asesores contribuye a la percepción de que Néstor es el que maneja el show.

En cuanto a la política exterior de CFK, los cables la describen como amateur. Uno de ellos dice que su primera intervención en una cumbre del G20 fue un papelón, que habló el doble que los demás líderes y perdió la oportunidad de presentar una propuesta para salir de la crisis mundial, en la que el Banco Central y la Cancillería de la Argentina habían trabajado durante meses.

Otro cable, de julio de 2009, describe con ironía el fallido intento de CFK de reinstaurar al derrocado Manuel Zelaya en la presidencia de Honduras.

> Según todas la fuentes consultadas, CFK decidió en el momento aceptar la invitación de Zelaya de escoltarlo

de vuelta a Honduras, invitación que había recibido el día después de la fuerte derrota electoral del gobierno, comprometiendo impulsivamente a ella y a su gobierno con un "plan" que de entrada parecía destinado al fracaso. Como la carrera de CFK se forjó en la lucha contra la dictadura militar de los setenta, parece creíble que su visceral aversión a los golpes militares influyera en su periplo. Pero no caben dudas de que la historia no termina ahí. CFK recibió buen asesoramiento de su Cancillería para no viajar a Centroamérica sin un acuerdo precocinado. Ignoró esa guía y la delegación de la Argentina ante la OEA, actuando presumiblemente por instrucciones de la Casa Rosada, se rehusó a postergar la sesión de la OEA del 5 de julio. Todo esto sugiere que el verdadero motivo de CFK fue empujar, con un audaz gambito diplomático, la reciente debacle electoral de su marido de las primeras planas de los diarios del fin de semana. No funcionó a varios niveles. En ese sentido, el episodio fue otra indicación de la ineptitud diplomática de los Kirchner, que —una vez más— buscan de manera oportunista aprovechar una situación para obtener ganancias de corto plazo, sin tener todos los datos ni considerar todos los riesgos.

Otro hecho que perjudicó la imagen de la Presidenta ante los enviados de Washington fue que su gobierno coincidió con el nombramiento del sociólogo chileno Arturo Valenzuela como subsecretario estadounidense para América Latina. A diferencia del subsecretario anterior, Thomas Shannon, que tenía muy buen diálogo con el gobierno, Valenzuela llegó con una visión muy crítica de las instituciones argentinas, plasmada en décadas de trabajos académicos, y un particular desprecio por el estilo informal y personalista del kirchnerismo. Uno de los últimos cables de la serie revelada por Wikileaks cuenta la famosa primera visita de Valenzuela al país como subsecretario, en diciembre de 2009, cuando dijo que empresarios estadounidenses se quejaban por la falta seguridad jurídica en la Argentina y decían que estaban mejor con Menem. El cable no incluye la aireada contestación del gobierno, pero muestra la opinión que Valenzuela tiene de las instituciones argentinas. Según el despacho, en una reunión que mantuvo con Macri, asemejó al gobierno argentino con el de "muchos otros" en la región, una forma elegante de tildarlo de neochavista.

Valenzuela dijo que le llamaban la atención varias tendencias, que parecen estar presentes en la Argentina y también en muchos otros países de América latina. Primero, señaló que aquellos que ganan el poder tienden a conseguir todo el control. Segundo, parece haber una preferencia por ver que aquellos que gobiernan, fracasen. Finalmente, las instituciones débiles refuerzan estas tendencias.

El mismo mes en que Valenzuela visitó la Argentina, Washington redactó el ya conocido cable preguntando por el "estado mental" de CFK. Aunque algunos quisieron ver en el despacho una prueba de que CFK estaba medio loca, el cable en ningún momento habla de "salud mental", sino que pregunta si la Presidenta no estará un poco estresada. No va más allá:

¿Cómo está manejando sus nervios y su ansiedad Cristina Fernández de Kirchner? ¿El estrés afecta su comportamiento hacia sus asesores y/o su proceso de toma de decisiones? ¿Qué recaudos toman Cristina Fernández de Kirchner o sus asesores para ayudarla a manejar el estrés? ¿Está tomando algún remedio? ¿En qué circunstancias maneja mejor el estrés? ¿Cómo afectan las emociones de Cristina Fernández de Kirchner sus decisiones y cómo se calma cuando está angustiada?

Las muestras de apoyo masivo al gobierno de CFK recién llegaron en 2010, primero con las manifestaciones en favor de la Ley de Matrimonio Igualitario, después con los festejos por el Bicentenario y finalmente con el velorio multitudinario de Néstor Kirchner. Cuando todo eso sucedió y la Presidenta dio un salto en las encuestas, los cables de Wikileaks ya no estaban para registrarlo porque terminan en febrero de 2010.

Por eso, la mirada crítica de la sede diplomática también tiene que ver con el momento en que fueron escritos los cables. Es cierto que la embajada nunca reconoció el liderazgo político de la Presidenta. Pero también es cierto que el protagonismo de CFK en los cables filtrados por Wikileaks coincidió con el peor momento del kirchnerismo.

C | Clarín I

El Grupo Clarín marca la agenda del país y puede tumbar gobiernos. No será del todo profesional en su tratamiento de las noticias pero sirve para hacer buenos negocios... Al menos eso era lo que pensaba la embajada estadounidense en junio de 2007, según un cable diplomático filtrado por Wikileaks. El cable da cuenta del "agasajo" que le brindó al entonces embajador Earl Anthony Wayne la plana mayor del grupo, con Héctor Magnetto a la cabeza. Según el despacho, los jerarcas del grupo usaron el almuerzo para comunicarle al representante de Washington que la confrontación con el kirchnerismo había empezado. Dijeron que Néstor Kirchner no les daba una entrevista, criticaron las políticas económicas del gobierno y preguntaron por Chávez. Cerraron el encuentro hablando de los esfuerzos conjuntos entre la embajada y el grupo para lograr la aprobación de la norma estadounidense de televisión digital, incluyendo viajes pagos para que ejecutivos argentinos de televisión asistieran a una convención en Las Vegas. (El gobierno argentino finalmente elegiría la norma japonesa en 2009.)

Más allá de los detalles del almuerzo, lo más jugoso del cable se refiere a la descripción que el autor hace de cómo el Grupo Clarín ejerce su poder y de la íntima relación de los periodistas y ejecutivos del grupo con la embajada. Arranca el despacho:

Mientras el embajador era agasajado por la plana mayor de Clarín, Magnetto parecía en buena forma, completamente en control del conglomerado de medios más grande de la Argentina, que ahora desafía a un gobierno en momentos en que enfrenta su primer gran escándalo político desde que asumió el poder hace cuatro años. La principales quejas contra los K se enfocaron en la falta de diálogo político y en sus políticas económicas. La elite de Clarín también insinuó su oposición a Chávez. Los ejecutivos de Clarín reiteraron su aprecio por la acciones útiles del embajador para promover la norma estadounidense de televisión digital y brindaron un informe actualizado sobre la decisión.

Según el documento, el encargado de Negocios, el jefe de Prensa y el jefe de Inteligencia de la sede diplomática acompañaron al embajador en el almuerzo el 7 de mayo de 2007. Continúa el despacho:

Magnetto trajo consigo a los dos hombres más nombrados para sucederlo: el vicepresidente José Aranda y el jefe de Relaciones Externas, Jorge Rendo. También estuvieron presentes Ricardo Kirschbaum, editor en jefe del buque insignia del poderoso grupo, el diario *Clarín*, y el principal columnista político del diario, Eduardo van der Kooy.

A continuación, el cable menciona algunos de los medios del grupo, al que le adjudica, en junio de 2007, una participación accionaria en el diario *Página/12* y en la agencia de noticias Diarios y Noticias (DyN).

El diario de más de 60 años, *Clarín*, es el más vendido del país, con una circulación semanal de 400.000 ejemplares que se amplía a 700.000 los domingos. Hace dos décadas, el Grupo Clarín empezó a diversificar sus negocios, tanto dentro como fuera de la industria periodística, para convertirse en una potencia. Tiene participación accionaria en los dos diarios más grandes del interior, *La Voz del Interior* (Córdoba) y *Los Andes* (Mendoza), además de *La Razón*, la agencia de noticias DyN y *Página/12*. Tiene imprentas y una mayoría que controla (junto con el diario rival *La Nación* y en asociación con el gobierno) la principal firma de papel para diarios, Papel Prensa. Es dueña de tres estaciones de radio, incluyendo la premiada Radio Mitre. Clarín también tiene una influencia importante en televisión con la propiedad del canal de aire Canal 13 y la creación en 1994 del primer canal de noticias las 24 horas, Todo Noticias. Además, es dueño de las dos principales empresas de cable, Multicanal y Cablevisión, aunque esta última espera la aprobación final del comité del gobierno para la defensa de la competencia. (La fusión sería aprobada por el gobierno de Néstor Kirchner en diciembre de 2007 y luego revocada por el gobierno de Cristina Kirchner en marzo de 2010.) Tiene empresas de Internet y un brazo caritativo, la Fundación Noble.

¿Cuánto vale semejante emporio? El cable arriesga una cifra: "El Grupo Clarín emplea a 7.800 personas. Las cifras de su valor no son públicas pero un ejecutivo especula es de tres o cuatro mil millones de dólares".

Tras describir algunas de las posesiones y el valor estimado del grupo, el cable relata cómo el diario utiliza su considerable poder para presionar al gobierno.

Clarín tiene el poder de marcar la agenda y ha sido descripto muchas veces como capaz de derrumbar un gobierno. Esto es cierto al punto de que *Clarín* sigue de cerca la marea de la opinión pública, que mide continuamente con encuestadoras de opinión. Se dice que lo que más teme Kirchner y lo primero que revisa cada mañana es la tapa de *Clarín*. Por ejemplo, fue sólo después de que *Clarín* empezó a publicar notas de tapa sobre el escándalo de corrupción de Skanska —cuatro meses después de que la noticia apareciera en otros diarios— que Kirchner habló en público sobre el caso.

Después sigue una larga lista de quejas que los jerarcas del grupo enumeraron ante el embajador.

Se quejaron por no poder conseguir una entrevista con Kirchner, que es famoso por hostigar a periodistas y no dar conferencias de prensa. Sobre la economía, hubo varias quejas sobre las políticas de control de precios y de retenciones, la manipulación de los datos sobre la inflación y la falta de atención al planeamiento a largo plazo. Los ejecutivos estaban asombrados por la ausencia total de medidas que podrían incrementar y/o atraer inversión extranjera y doméstica. Los puntos de vista expresados indican que, a pesar de su contenido muchas veces popular e inclinado hacia la izquierda, *Clarín* representa a la elite industrial de la Argentina y que, en el fondo, lo que le interesa son los negocios.

El autor del cable relaciona el malestar del grupo hacia el gobierno con la enérgica pero tardía cobertura del caso Skanska, que involucraba a funcionarios kirchneristas en una trama de presuntas coimas en la obra pública. El cable da a entender que el despliegue periodístico de *Clarín* obedeció a motivaciones políticas.

Crecientes quejas por negocios pueden explicar, en parte, la reciente decisión de cubrir agresivamente el escándalo de corrupción Skanska, al que le había bajado el tono durante meses. En los años previos, la compañía se había abstenido de semejante cobertura en contra del gobierno porque le debían a Kirchner haberlos salvado de la amenaza de bancarrota de acreedores extranjeros después de la crisis (de 2001), y también porque el público pedía desesperadamente estabilidad política. Sin embargo, una serie de reveses políticos en varias provincias (en las legislativas de 2007), junto con la recuperación de la salud financiera de Clarín, han terminado el período de gracia de Kirchner con el Grupo Clarín.

Después de anunciar la ruptura con el gobierno, Magnetto derivó la conversación hacia Hugo Chávez.

Magnetto preguntó por el presidente venezolano Chávez y consultó si la relación comercial continua (de Chávez) con los Estados Unidos limitaba la preocupación de los Estados Unidos, reflejando la línea editorial de *Clarín* de que Chávez no es una amenaza real. En una conversación separada, un lugarteniente de Kirschbaum nos dijo que el diario se opone con firmeza a Chávez, a pesar de la amplia variedad de opiniones que publica.

A su turno, el embajador dijo que más que una amenaza para los Estados Unidos, el líder bolivariano era una amenaza para la región. Después de intercambiar opiniones sobre Chávez, los comensales hablaron de sus esfuerzos conjuntos para lograr la aprobación de la norma estadounidense de televisión digital. En este tema fue Rendo quien llevó la voz cantante del grupo.

Rendo observó que los japoneses habían sacado ventaja de la oportunidad de posicionarse agresivamente para recibir una consideración más seria. Rendo confirmó los resultados positivos del viaje a la exposición y convención de la Asociación Nacional de Ejecutivos de Televisión en Las Vegas, organizado por la oficina comercial de la embajada con el Foro ATSC (norma estadounidense) para actores clave en la decisión. Los argentinos que asistieron volvieron impresionados con la norma estadounidense y admitieron que habían subestimado sus beneficios y capacidades.

A continuación, el cable se aparta nuevamente del almuerzo para hablar de la relación entre los funcionarios de la embajada y los periodistas y ejecutivos del Grupo Clarín. La describe como una relación muy cercana pero de conveniencia mutua. Como si el caso Skanska no bastara, el autor del despacho agrega dos ejemplos más para dejar en claro que ciertas prácticas periodísticas del medio no son del agrado de la embajada (véase "Wayne").

Al igual que el presidente Kirchner, la lectura de la tapa de *Clarín* es una de las primeras cosas que se hace en la embajada cada mañana. Dependiendo de cómo trata determinado tema, una tapa de *Clarín* puede gatillar reacciones negativas. Por ejemplo, cuando un informe rutinario del Departamento del Tesoro fue descripto como una sanción económica contra la Argentina, el presidente Kirchner fustigó en público a los Estados Unidos. En otra ocasión, *Clarín* publicó la carta al editor de la embajada en respuesta a un artículo que contenía información falsa sobre el embajador Wayne.

Sin embargo, el grupo y la embajada se llevan muy bien, señala el cable:

Mientras la embajada puede tener una relación fastidiosa porque el diario no siempre se maneja de la forma responsable que nosotros quisiéramos, tenemos una fuerte relación de trabajo. Nos comunicamos de arriba a abajo con la línea gerencial, involucrándonos en conversaciones diarias con editores y periodistas de *Clarín* sobre la relación bilateral, y rutinariamente los incluimos en programas de entrenamiento en los Estados Unidos. Además de colocar nuestros artículos de opinión, *Clarín* aprecia que apoyemos activamente el desarrollo profesional de sus periodistas.

A modo de conclusión, el cable señala que más allá del periodismo que practica, el Grupo Clarín da para hacer buenos negocios.

Héctor Magnetto y su equipo dejaron la clara impresión de que Clarín ya no está satisfecho con la manera en que la actual administración gobierna el país. El poderoso Grupo Clarín está en la misma vereda que la embajada en promover una decisión del gobierno a favor de la norma ATSC estadounidense para la televisión digital, y los buenos negocios podrían ser una buena base para nuestro diálogo en el futuro.

C | Clarín II

Dos meses después del voto no positivo de Cobos, el Grupo Clarín le trasmitió a la embajada estadounidense que tenía la batalla con el gobierno prácticamente ganada. José Aranda, vicepresidente del grupo, fue el encargado de transmitir el mensaje. Lo hizo con estos términos: muchos gobiernos han intentado debilitar al Grupo Clarín pero ninguno lo ha conseguido. La Ley de Medios no puede salir. El gobierno ni siquiera se va a animar a presentarla, al menos no por ahora.

Se lo dijo al encargado de Negocios de la embajada de los Estados Unidos en septiembre de 2008, un año antes de que se aprobara la Ley de Medios Audiovisuales, según un cable diplomático filtrado por Wikileaks. La ley de medios "no era posible", explicó el contador Aranda al representante de Washington. El gobierno debilitado no se va arriesgar a ponerse en contra a "la prensa" de cara a las legislativas de 2009, opinó.

Poco más de un mes después de la derrota electoral de 2009, la presidenta Cristina Fernández de Kirchner presentó el proyecto de Ley de Medios Audiovisuales, que fue aprobada con sólidas mayorías en las dos cámaras y promulgada en octubre de 2009.

Trece meses antes, Aranda había sido tan convincente en su explicación de por qué el gobierno iba a cajonear la ley que el autor del cable subtituló la sección dedicada al tema como "Ley de Medios. El susto ya pasó". Allí dice lo siguiente:

Aranda dijo que, en gran parte debido a la posición debilitada del gobierno de la Argentina tras la crisis del campo y las prioridades mucho más importantes que enfrenta en los próximos meses, tenía la fuerte impresión de que no habría un intento serio del gobierno de la Argentina de impulsar la ley, al menos este año. (Dado que las vacaciones de verano aquí van desde alrededor de la Navidad hasta principios de marzo, cualquier impulso del gobierno de la Argentina a la Ley de Medios se demoraría por lo menos hasta esa fecha.) Dijo que la nueva ley "no era posible" a causa de la debilidad del gobierno de la Argentina en el Congreso para tener un "debate serio" de la ley en este momento. (El presidente de Clarín, Héctor Magnetto, caracterizó recientemente este punto al embajador refiriendo que "no pueden moverla porque el Congreso no la va a aprobar".)

A continuación, según el cable, el número dos del grupo se burló de los esfuerzos del titular del ente regulador de radiodifusión, Gabriel Mariotto, para promover la ley en el interior del país.

Bromeó que aunque el jefe del COMFER, Gabriel Mariotto, todavía recorre el país, aparentemente juntando apoyo para la nueva ley, lo hace en "provincias lejanas" como Tierra del Fuego y otras más, y el gobierno de la Argentina probablemente sabe que no hay chances este año de acción alguna en este proyecto de ley.

El cable presenta a Aranda como uno de los responsables, junto con Héctor Magnetto, de tranformar al Grupo Clarín en un conglomerado multimedia.

José Aranda, un importante accionista (del grupo) trabajó hombro a hombro con el presidente de Clarín, Héctor Magnetto, para transformar a un diario popular como *Clarín* en el extendido conglomerado multimedia que es hoy. Aranda, contador de profesión, posee una visión de negocios y societaria que trasciende a los gobiernos que han ido y venido en la Argentina. Provee un rico análisis de la política y los negocios aquí.

En cuanto al Grupo Clarín, el cable lo presenta así:

El Grupo Clarín es el más grande y prominente conglomerado de medios de la Argentina y el líder del mercado en la mayoría de los segmentos de medios en los que opera. A través de las compañías que controla, el Grupo Clarín es el dueño del diario de mayor circulación en idioma español en el mundo, las cadenas de televisión de aire y cable de mayor rating en la Argentina, distribuidoras de televisión por cable, la segunda estación de radio en términos de audiencia en sus programas de primera mañana, Internet, impresión, publicación, producción televisiva y programación.

Con semejante poder de fuego, el grupo había podido resistir los embates de los distintos gobiernos, se ufanó el ejecutivo de Clarín.

Aranda mencionó intentos de gobiernos argentinos (pasados y presente) de frenar, controlar o debilitar de cualquier otra manera a Clarín. Un ejemplo ilustrativo fue el intento del ex presidente Menem de juntar otras entidades de medios en un grupo pro gobierno (Grupo CEI, Telefé, Moneta, etc.) "en una violación total de la ley" para "matarnos". Ese y todos los demás esfuerzos fracasaron.

Tan fuerte es el Grupo Clarín que se puede dar el lujo de rechazar publicidad oficial, arriesgó Aranda.

Destacó la "sólida" cantidad y calidad de su negocio, y señaló que "no dependemos del Estado", a diferencia de muchos diarios "menos rentables" que son "cooptados" por el Estado. "Podemos rechazar publicidad oficial aun cuando a veces podría ser necesaria", específicamente para evitar "dependencia" en otros determinados momentos.

Para reafirmar la solidez del grupo de cara al futuro, Aranda le explicó al diplomático estadounidense la estrategia online de *Clarín*.

Aranda dijo que un tercio de los ingresos del diario *Clarín* venía de los avisos clasificados, un tercio de la venta de los diarios y un tercio de avisos convencionales. Dijo que la Argentina en general era "lenta" en términos de facturar por avisos y noticias en Internet, pero que se trataba de un mercado importante y creciente. En ese sentido, compartió la estrategia de *Clarín* para los avisos inmobiliarios por Internet y dijo que *Clarín* había comprado los dos portales de bienes raíces más prominentes para capturar ese mercado, según él, el más importante en la transición a la Internet que está ocurriendo. Dijo que *Clarín*, a través de sus sitios, controla también varios sitios en las cuatro áreas principales de negocios para consumidores de Internet: bienes raíces, automóviles, avisos personales y lo que llamó "oportunidades", o sea otras ventas, canjes, etc. Preguntado si el gobierno de la Argentina intervenía en este negocio, Aranda dijo que el gobierno de la Argentina no había mostrado todavía interés o capacidad para hacerlo. Dijo que el gobierno anterior había fracasado en su intento de hacer exitoso a un portal de educación por Internet conocido como educ.ar.

En el cable, Aranda explica la posición dominante de Clarín en los distintos medios de comunicación, a los que describe como mercados con muy pocos jugadores que puedan sobrevivir sin déficit o ayuda estatal. Según el cable, en su exposición Aranda se limitó a los mercados gráfico, televisivo y radial, dejando de lado otros segmentos del mercado comunicacional en los que el grupo también participa activamente. Con respecto a los medios gráficos, señala a los diarios *Página/12* e *Infobae* y a las publicaciones del Grupo Spolsky como pertenecientes a la categoría de medios controlados por la publicidad oficial.

Aranda habló de la influencia de la publicidad oficial para controlar contenidos, por ejemplo, en el diario izquierdista de baja circulación *Página/12* y la fuente de información online *Infobae*. Aranda también sostuvo que el magnate de los medios Sergio Spolsky había hablado abiertamente de estar financiado casi por completo por recursos del gobierno para varios de sus productos, que incluyen los semanarios *Veintitrés* y *Siete Días*, dos diarios en La Plata, *BAEconómico* y, más recientemente, el *Buenos Aires Herald*.

Con respecto a la televisión, sin entrar en detalles, Aranda dijo que Canal Nueve y América pierden plata.

Aranda explicó que hay quizá sólo tres estaciones de televisión de aire que dan ganancia en la Argentina, citando a Canal 13 (Clarín), Canal 11 (propiedad de Telefónica, basada en España) y Canal 7 (estatal) sobre cinco en Buenos Aires. Las demás pierden plata. Explicó que el 80% de la torta del mercado (basado en facturación de publicidad) va a los canales 13 y 11, con un 45% sólo para el canal de Clarín.

En cuanto a las radios, el ejecutivo de Clarín dijo que sólo tres o cuatro dan ganancia, y acusó de competencia desleal a las radios pirata y al empresario Daniel Hadad.

Aranda dijo que "sólo unas tres" estaciones de radio dan ganancia aquí, citando a Radio 10 (propiedad del empresario de medios y aliado de Kirchner, Daniel Hadad) con la mayor porción del mercado, Radio Mitre y la estación de música Rock&Pop. Citando las razones de la existencia de tantas emisoras deficitarias, mencionó el fenómeno generalizado de las "radios truchas" (clandestinas, fuera-de-los-libros, estaciones de radio sin licencia) que están en todo el área de la Capital Federal y en todo el país.

Agrega el despacho firmado por el entonces embajador Earl Anthony Wayne:

Aranda dijo que, según la ley, una compañía de medios no puede ser dueña de más de dos estaciones por área de cobertura, o más de cinco a nivel nacional. "Si quisiéramos violar la ley, nos arriesgaríamos al enojo del gobierno de la Argentina. ¿Y para qué? ¿Sólo para adueñarnos de unas estaciones de radio poco beneficiosas?" Sostuvo que Daniel Hadad excede el límite, como también otros.

En su comentario final, compartiendo el optimismo de Aranda, el cable dice que por el momento el gobierno se dio por vencido en la pulseada por la Ley de Medios.

Aranda es una de las más poderosas y conocedoras figuras de los medios de la Argentina, con contactos en todo el país y la región. Sus observaciones sobre política, negocios y sobre cómo se ejerce el poder son reveladoras, así como su mirada sobre lo fuerte que puede jugar este gobierno —y los anteriores— en sus intentos por controlar a los medios. Sus observaciones también señalan cuán debilitado quedó el gobierno de la Argentina tras la huelga de los agro, dado que es probable que se haya dado por vencido en su intento de hacer aprobar una Ley de Medios —alguna vez prioridad estratégica del gobierno de la Argentina— por lo menos hasta marzo de 2009.

C | Cuba

El examen se rindió en 2004 y se repitió en 2007, 2008 y 2009, siempre con el mismo resultado reprobatorio. Para el gobierno de los Estados Unidos, la Argentina no ha colaborado con la política de Washington de aislar y denunciar al régimen castrista en Cuba.

Según una serie de cables filtrados por Wikileaks, que van desde mediados de 2004 hasta principios de 2010, el examen anticubano es un ejercicio periódico que realizan las distintas embajadas de la región para cumplir con un apartado de la Ley Helms-Burton de 1996, aprobada durante el gobierno de Bill Clinton, que reforzó el bloqueo comercial, económico y financiero de los Estados Unidos sobre la isla, iniciado en 1960. El examen consiste en seis preguntas que cada embajada debe contestar sobre las relaciones políticas, económicas y culturales entre Cuba y el "país anfitrión".

Los cables muestran que pese a la alternancia entre gobiernos demócratas y republicanos y a la promesa de Obama de "un cambio de actitud" hacia la región, Washington mantiene firme su política histórica de aislamiento y hostigamiento del régimen castrista.

Por otra parte, los cables revelan que, aun bajo la presión de Washington, la Argentina mantuvo durante los últimos dos gobiernos una política de relaciones abiertas y gestiones discretas con Cuba. Esas gestiones resultaron en un "éxito diplomático", reconoce uno de los cables. Se refiere al pasaporte otorgado a la doctora Hilda Molina, una reconocida disidente que llevaba más de veinte años pidiendo salir de Cuba para visitar a su familia en la Argentina.

El primer cuestionario contestado aparece en un cable de diciembre de 2004, en pleno apogeo de Bush. El despacho da cuenta de distintas gestiones de funcionarios estadounidenses, incluyendo al notorio anticastrista Otto Reich, para que Kirchner endureciera su postura con La Habana.

El gobierno de la Argentina continúa desarrollando lo que llama política de relación constructiva hacia Cuba en temas de democracia y derechos humanos. La Presidencia y la Cancillería sostienen que las relaciones y la influencia que resultan de ello —aunque sea limitada— es la mejor manera de promover reformas en Cuba. Señalan el caso de sus gestiones a favor de la doctora cubana Hilda Molina, a quien hasta el día de hoy se le ha denegado el permiso para visitar a su hijo en la Argentina. El gobierno de la Argentina ha estado presionando en silencio para que el gobierno de Cuba permita que la doctora Molina viaje a la Argentina. El embajador, el encargado de Negocios y altos funcionarios visitantes, incluyendo al ex enviado presidencial Reich y al embajador de los Estados Unidos ante la OEA, [John] Maisto, han enfatizado repetidamente el fuerte desacuerdo del gobierno de los Estados Unidos con el enfoque del gobierno de la Argentina.

En respuesta a las distintas preguntas, el cable dice que la Argentina tiene algunos tratados comerciales con Cuba pero ninguna inversión significativa, y mencionan un programa de alfabetización del gobierno cubano que funciona en la Argentina.

110

Los cuestionarios de 2007 y 2008 dicen más o menos lo mismo, repitiendo párrafos enteros, excepto en la sección dedicada al caso Molina, que se va agrandando hasta ocupar casi media página en el cable de 2008.

El despacho de 2009 es mucho más taxativo y crítico que los anteriores. No menciona la "diplomacia silenciosa" y simplemente dice que la Argentina no colabora para nada en denunciar la falta de democracia y las violaciones a los derechos humanos en la isla. El cable critica a Cristina Kirchner por no haberse reunido con Hilda Molina durante la visita oficial de la Presidenta a La Habana en enero de 2009. Sin embargo, cinco meses después de la visita oficial, y un mes después de la escritura del cable, Molina recibió su pasaporte y viajó a la Argentina.

Lo que hace más notable a este despacho de 2009 es que se trata del primer cuestionario contestado bajo la presidencia de Obama, quien había dicho que buscaba un acercamiento con el gobierno cubano.

PRIMERA PREGUNTA: En opinión de la embajada, ¿el país anfitrión ha trabajado para promover la democracia y los derechos humanos en Cuba?
RESPUESTA: No. El gobierno de la Argentina no ha adoptado acciones públicas o privadas en el último año para promover el avance de la democracia y los derechos humanos en Cuba. La presidenta Cristina Fernández de Kirchner visitó Cuba entre el 18 y el 21 de enero y no promovió en público ninguna reforma en favor de la democracia o los derechos humanos en el país. La prensa la criticó por no reunirse con disidentes o promover los derechos humanos y también por el momento de la visita, que coincidió con la asunción del presidente Barack Obama.

SEGUNDA PREGUNTA: ¿Ha realizado el país anfitrión declaraciones sobre abusos a los derechos humanos en Cuba o ha apoyado a la sociedad civil cubana?

RESPUESTA: No. El 17 de abril, en la Quinta Cumbre de la Américas realizada en Trinidad y Tobago, la presidenta Fernández de Kirchner fue la encargada del discurso inaugural y pidió la readmisión de Cuba en la Organización de Estados Americanos sin condiciones. No mencionó reformas relacionadas con los derechos humanos o la democracia en Cuba. A principios de 2009, el organismo de la Argentina encargado de otorgar el estatus de refugiado a extranjeros confirió tal estatus a un enfermero cubano que había solicitado asilo en 2007 después de negarse a retornar a Cuba y criticar al gobierno. Fuentes reservadas de la Cancillería le confirmaron al diario *Clarín* en mayo que Roberto Cruz Cruz había sido aceptado como refugiado pero que no había recibido asilo político.

TERCERA PREGUNTA: ¿Ha habido visitas diplomáticas de alto nivel entre el país anfitrión y Cuba en los últimos seis meses?

RESPUESTA: Sí. La visita del 18 al 21 de enero de la presidenta Fernández de Kirchner incluyó reuniones separadas con Raúl y Fidel Castro, discursos públicos y la firma de once acuerdos bilaterales. A pesar de extensa especulación en la prensa previa al viaje, así como del lobby de esta embajada, CFK declinó incluir los derechos humanos o las reuniones con disidentes cubanos en su agenda. También declinó reunirse con la médica disidente Hilda Molina, a quien el gobierno de Cuba le niega un pasaporte y no ha podido visitar a su familia en la Argentina.

CUARTA PREGUNTA: ¿Cuál es la naturaleza de las inversiones que empresas del país anfitrión tienen en Cuba?

RESPUESTA: El gobierno de la Argentina no impone ningún requisito para registrar inversiones extranjeras directas. La embajada no ha podido descubrir ninguna inversión importante de ciudadanos de la Argentina o de corporaciones públicas en Cuba. Funcionarios de la Cancillería también le dijeron a la embajada que no conocen ninguna inversión importante de la Argentina en Cuba…

QUINTA PREGUNTA: ¿Existen acuerdos comerciales bilaterales u otros acuerdos de cooperación entre la Argentina y Cuba?

RESPUESTA: Los gobiernos de la Argentina y Cuba firmaron un acuerdo regional de intercambio preferencial a través del Mercosur, durante la cumbre del organismo en Córdoba, Argentina, el 21 de julio de 2006. Brasil, Uruguay y Paraguay también forman parte de este acuerdo de ALADI (Asociación Latinoamericana de Cooperación)…

SEXTA PREGUNTA: ¿Existen programas de intercambio entre la Argentina y Cuba?

RESPUESTA: Según la página web de la embajada de Cuba, Cuba ha patrocinado su programa de alfabetismo "Sí, puedo" en el país desde 2003, alcanzando a 15.060 personas en 25 municipios y 10 provincias. Algunos ciudadanos argentinos se han beneficiado también de "Operación Milagro", una iniciativa conjunta de los gobiernos de Cuba y Venezuela que provee operaciones gratis de ojos a gente de bajos ingresos. La Confederación General del Trabajo (CGT), la principal central sindical de la Argentina, participa activamente en ambos programas…

Al mes siguiente de reprobar el examen anticubano del Departamento de Estado, otro cable diplomático anuncia escuetamente que Molina había recibido un pasaporte y se preparaba para viajar a la Argentina. En su comentario final, el cable sobre Molina denota cierto fastidio de Washington porque el gesto del gobierno cubano había validado la "diplomacia silenciosa" argentina en desmedro de la campaña de denuncias públicas que promueve el Departamento de Estado.

Si esto es verdad, el levantamiento de la prohibición de viajar para Hilda Molina removerá un viejo elemento irritante de la agenda bilateral de la Argentina con Cuba. La negativa del gobierno cubano de permitir que Hilda Molina viaje para visitar a su único hijo y sus nietos la ha convertido en una causa célebre, y las figuras de la oposición constantemente fracasaron en conseguir que "liberen a Hilda". A fines de 2004, el entonces presidente Néstor Kirchner echó a varios diplomáticos después de que la embajada de la Argentina en La Habana recibiera a Hilda Molina durante 24 horas y, en una vergonzosa marcha atrás, le pidiera luego que se retirara. En 2006 Kirchner aparentemente no se alteró ante la negativa de Castro de reconocer o contestar una carta suya pidiendo una visa de salida para Molina. En enero de este año, cuando CFK visitó Cuba fue criticada por no reunirse con Molina o hablar en público sobre el hecho de que Molina está prácticamente encarcelada en la isla. Aunque ha sido una larga espera de 15 años para que Molina viaje, CFK y el canciller Jorge Taiana recibirán el crédito por el éxito de su "diplomacia silenciosa".

D | Das Neves

Los cables de Wikileaks muestran que el actual gobernador de Chubut ha logrado recomponer su relación con la embajada estadounidense tras el serio incidente ocurrido en abril de 2002, cuando Mario Das Neves era el director de Aduana de Eduardo Duhalde.

El mes anterior, el corresponsal del diario estadounidense *The Washington Post*, Anthony Faiola, había escrito una extensa crónica sobre chicos desnutridos en Tucumán. El artículo había conmovido a un grupo de lectores que se conectaron por e-mail y decidieron organizarse para mandar un cargamento de comida, ropa, medicamentos y equipamiento para el hospital de Santa Ana, en la zona más afectada de la provincia.

El cargamento estuvo demorado seis semanas en la Aduana, en medio de rumores de un posible desvío hacia el Ministerio de Desarrollo Social, cuyos programas asistencialistas en el conurbano bonaerense, con amplia difusión en los medios, realzaban la figura de la entonces titular de la cartera y esposa del presidente en esos días, Hilda "Chiche" Duhalde.

Cuando Faiola llamó para quejarse, Das Neves lo citó en su despacho. Lo recibió con una cámara sorpresa del programa de televisión *Telenoche*, lo acusó de mandar "basura" a la Argentina, y aseguró que "casi todo" el cargamento estaba en mal estado.

Después permitió que las cámaras filmaran el contenedor. Junto con el cargamento enviado desde los Estados Unidos había un burdo montaje: una camilla ensangrentada, mamaderas sucias y ropa con excrementos que, según Das Neves, "no se sabe si fue usada por cadáveres". Das Neves completó su estrategia mediática con una entrevista con la agencia estatal Télam en la que llamó "loco", "mentiroso" e "irresponsable" al periodista estadounidense y dijo con respecto a las donaciones: "Se hubieran acordado antes de nosotros", añadiendo que los Estados Unidos eran en gran parte responsables de las miserias argentinas.

Lamentablemente para Das Neves, los donantes habían filmado, fotografiado, relevado y notarizado las compras, el embalaje que se hizo en el garage de uno de los donantes, la carga en el camión y el cierre del contenedor. Todo matizado con imágenes de donantes con sus chicos en brazos, al borde del llanto, mandando saludos a sus amigos tucumanos. Habían guardado los recibos del almacén en el que habían comprado la comida y del negocio donde habían adquirido tres camillas nuevas. Habían contactado a la embajada argentina para pedir ayuda y la delegación mandó a una funcionaria a la ceremonia de embalaje como señal de apoyo y agradecimiento. Además, los donantes habían tomado contacto con los médicos de Santa Ana para preguntarles cuáles eran sus necesidades y hacer un seguimiento del cargamento, y ya eran casi amigos.

Este cronista publicó esa información en el diario *La Nación*, con fotos, imágenes de video, cartas, acta de escribanía, permiso de importación y recibos de compra, más los testimonios de los donantes, la funcionaria de la embajada argentina, el almacenero de Washington que vendió la comida y los médicos tucumanos. Entonces, la embajada estadounidense tomó cartas en el asunto.

El embajador en ese momento, James Walsh, pidió una

audiencia urgente en la Casa Rosada y fue recibido por quien era jefe de Gabinete, Alfredo Atanassoff. "Esta clase de incidentes dificulta mi tarea de ayudar a la Argentina a conseguir otro tipo de ayuda", le espetó el diplomático. Exigió y obtuvo permiso inmediato de la Aduana para que personal de la embajada inspeccionara el cargamento. Mientras tanto, en una teleconferencia con los donantes, funcionarios estadounidenses estudiaban el video de *Telenoche* para identificar el material plantado y que los inspectores de la embajada pudiesen separarlo de lo que se había enviado desde los Estados Unidos.

Rápido de reflejos, el entonces presidente Duhalde dijo que "el 90 %" del cargamento estaba en buen estado y mandó a Das Neves a callarse la boca. El embajador se permitió corregir a Duhalde, aclarando que "todo" el cargamento había sido enviado en buen estado. Menos de una semana más tarde las donaciones llegaron a destino, los médicos tucumanos agradecieron por las radios y el incidente diplomático se dio por cerrado. "No puede ser que Das Neves arme este quilombo por un pantalón sucio", fue la frase que se escuchó muy cerca del despacho presidencial.

Ninguno de los cables diplomáticos estadounidenses filtrados por Wikileaks, que comienzan en 2004, recuerda el incidente con Walsh. Por el contrario, dan la impresión de que las embajadas tienen memorias cortas o de que los buenos negocios lavan cualquier culpa. Los despachos revelan que otro embajador estadounidense, Earl Anthony Wayne, viajó dos veces a Chubut a reunirse con el gobernador Das Neves, quien asumió el cargo en 2003. La primera visita fue en febrero de 2007 para hacer lobby a favor de una extensión de la concesión petrolera de Occidental Petroleum (Oxy), una empresa cuyas inversiones en la provincia patagónica fueron valuadas en mil millones de dólares por la embajada estadounidense. Por medio de un ministro, el gobernador le informó al embajador que Oxy debía esperar. Dice un cable de mayo de 2007:

El embajador urgió a Das Neves a negociar pronto con Oxy en la extensión de su área concesionada, que expira en menos de diez años, un horizonte corto para compañías de exploración. Das Neves dijo que la presencia de Oxy era bienvenida en la provincia. Su ministro de Economía señaló que la provincia está empezando una negociación con la petrolera Pan American (Energy), la mayor productora de la provincia, y que usaría ese contrato de modelo para los demás productores.

La segunda visita fue en 2008 para hacer lobby a favor de General Electric, que acababa de venderle dos turbinas generadoras al gobierno provincial. Das Neves dijo que le interesaba seguir haciendo negocios con GE, y Wayne se ofreció a servir de puente entre el gobierno y la empresa. Dice un cable de mayo de 2008:

El embajador Wayne destacó la participación positiva y las inversiones de empresas como General Electric y Occidental Petroleum. Das Neves estuvo de acuerdo, haciendo notar que GE fue socio en proyectos de infraestructura pasados y podría tener un rol en futuras iniciativas, que le agregarían un valor significativo a la provincia, incluyendo un inminente proyecto para construir una tubería de gas. El embajador Wayne agregó que la embajada podía servir de interlocutor con GE y otras empresas estadounidenses si fuera necesario.

Como dicen allá, negocios son negocios.

D | De Vido

Para desmentir artículos periodísticos sobre supuestas quejas de empresarios estadounidenses contra el gobierno argentino, el 14 de noviembre de 2006, el embajador estadounidense Earl Anthony Wayne decidió hacerle una "visita de cortesía" al ministro de Planificación, Julio De Vido. Dice un cable firmado por Wayne:

> Al contrario de lo que dicen informes de prensa, la realidad es que los miembros del directorio de la Cámara de Comercio no llenaron la reunión con quejas. A muchas compañías estadounidenses les está yendo bien, con ganancias sólidas.

El despacho describe una larga reunión en la que el embajador y el ministro conversan abiertamente sobre política nacional e internacional, y hacen un repaso punto por punto de la situación de las distintas empresas que operan el país. Fue una de varias reuniones similares del ministro de Producción con sucesivos embajadores estadounidenses, reflejadas en media docena de cables de Wikileaks. Todas fueron de tono amistoso y sin denuncias de corrupción, aunque otros cables sí mencionan quejas de empresarios o dan cuenta de informaciones periodísticas al respecto. Durante la reunión con Wayne, De Vido dijo que le gustaba el perfil de Apache Corporation, una empresa de explotación y exploración de gas y petróleo que opera en Tierra del Fuego: "Es chica y es agresiva, y no pierde el tiempo". El ministro señaló que estaba buscando maneras para compensarla porque el gobierno nacional le había quitado exenciones impositivas a la provincia de Tierra del Fuego en octubre de 2006. El mes anterior, Apache había comprado tres explotaciones en esa provincia a Pan American Energy y a Pioneer Energy por unos 800 millones de dólares, recuerda el cable. De Vido agregó que era una lástima que Apache no le hubiera anticipado la compra, porque la decisión de quitarle incentivos fiscales a Tierra del Fuego ya estaba tomada desde antes de la operación y, de haberlo sabido, habría sido más fácil encontrarle una solución al problema.

A Wayne le satisfizo la explicación del ministro.

De Vido tiene un interés particular en ayudar a Apache dada su frecuente promoción como precisamente la clase de empresa que quiere atraer para el sector energético, y es improbable que haya cambiado regulaciones para impedir o socavar sus operaciones.

El embajador sacó después el tema de la televisación digital y recomendó al ministro que se adoptara la norma estadounidense, diciendo que era de mejor costo-beneficio para el consumidor argentino. De Vido contestó que ya se había reunido con varios funcionarios estadounidenses para discutir sobre el tema, incluyendo al entonces secretario de Comercio, Carlos Gutiérrez. Explicó que la decisión sobre qué norma adoptar no había sido tomada pero que el proceso de decisiones sería transparente y que para eso había formado un panel de expertos que evaluaría el tema. Los cables de Wikileaks revelan que además de la embajada, el Grupo Clarín y el empresario de medios Daniel Hadad fueron activos lobbistas a favor de la norma estadounidense. Sin embargo, tres años después de la reunión entre De Vido y Wayne, la Argentina adoptó la norma japonesa junto con Brasil, Chile, Uruguay y la mayoría de los países latinoamericanos.

De la televisión digital, Wayne pasó al tema AMIA y preguntó por las críticas a la investigacion judicial del entonces subsecretario de Tierras para el Hábitat Social, Luis D'Elía. Por entonces el juez del caso, Rodolfo Canicoba Corral, acababa de ordenar el procesamiento de un grupo de funcionarios y ex funcionarios iraníes. De Vido contestó que Kirchner había adoptado una "actitud muy valiente" al apoyar la investigación y que no toleraría el disenso en sus filas en este tema tan importante. Al día siguiente de la reunión entre De Vido y Wayne, Kirchner echó a D'Elía del gobierno.

```
21. (C) De Vido is described as a traditional, left-wing
Peronist, although Senior Embassy Officers report that he
has
gone out of his way to maintain good relations with the
U.S.
De Vido has attended four "sectoral" dinners at the
Ambassador's Residence to meet with U.S. investors.  De
Vido
has been very careful to not publicly criticize the U.S.
When De Vido traveled to Washington, he eagerly changed
his
schedule at the Ambassador's suggestion to meet with U/S
Larson.  De Vido has been very forthcoming in discussions
with the Ambassador about the concerns of U.S. companies
operating in Argentina.  He has repeatedly stated that he
prefers the presence of U.S. companies because of their
honesty, managerial excellence, and technological edge.

22. (C) De Vido has been uniformly friendly in his
contacts
with Embassy Officers, visiting USG officials and many U.S.
executives, but has been known to lose his temper in
dealing
with some European government officials.  In July 2003, he
sharply told the press that if visiting French Minister
of
Economy Francis Mer was coming to talk to him only about
the
renegotiation of public service contracts for French
```

El encuentro con De Vido produjo en Wayne sentimientos encontrados, según se desprende del comentario con el que cierra el cable. Por un lado, parece complacido con la disposición que mostró el ministro en solucionar los problemas puntuales de las empresas estadounidenses y aceptó la oferta de De Vido de continuar reuniones sectoriales con sus representantes. Antes había reconocido que muchas de esas empresas andaban bien y ganaban plata. Pero después agregó:

Sin embargo, reconocemos que De Vido es la fuerza detrás de muchos problemas que padecen los inversores estadounidenses y de otros países. Las quejas más fuertes de los inversores, especialmente en el sector energético, están vinculadas al impacto de tarifas reguladas, controles de precios, impuestos a la exportación y otras trabas, y el hombre de De Vido en el Ministerio de Economía, Guillermo Moreno, es el encargado de implementar esas políticas.

D | Duhalde I

En agosto de 2004, Eduardo Duhalde defendía el ALCA y la reelección de Bush, y se mostraba convencido de que Kirchner no podría gobernar sin él. Le preguntó el entonces embajador estadounidense Lino Gutiérrez:

¿Kirchner va a desafiar el control de Duhalde de la provincia de Buenos Aires lanzando la candidatura de Cristina Fernández de Kirchner (que da bien en las encuestas) para una banca en el Senado, como se especula en la prensa?

Reza un cable diplomático:

Según Duhalde, no en esta vida. Kirchner simplemente no puede tolerar el papelón de que su esposa pierda una elección provincial, así que eso no va a suceder. Duhalde espera un acuerdo con Kirchner para elegir los candidatos a las elecciones legislativas del año siguiente.

Para entonces la relación entre Duhalde y Néstor Kirchner era tensa. Ambos evitaban criticarse en público pero se habían cruzado en la prensa. Duhalde había declarado que a Kirchner le gustaba ocuparse de los muertos, en referencia a su política de derechos humanos, y el entonces presidente había contestado que los crímenes todavía impunes eran una cuestión del presente. Un mes antes de visitar la embajada, Duhalde se había encontrado con Kirchner en una cumbre del Mercosur, y Kirchner aprovechó la ocasión para calmar las aguas. Dijo que tenían diferencias pero que no estaban peleados y elogió su tarea al frente del organismo regional. Duhalde tenía una fuerte influencia en el Congreso porque controlaba a la mayoría de los diputados bonaerenses. En sus filas, el acuerdo para las legislativas de 2005 se daba por hecho. "Si le va bien gobernando, ¿cómo Duhalde le va a negar buenos lugares a Kirchner en la lista de las elecciones del año que viene?", analizaba un "dirigente duhaldista" citado por *Clarín* en la previa de la cumbre de Mercosur.

Pero Duhalde no estaba tranquilo. Había ido a la reunión con los diplomáticos estadounidenses a quejarse porque sentía que Kirchner lo maltrataba y que Bush lo ninguneaba. Según el cable diplomático, parecía un hombre *bitter* (amargado).

"Duhalde llegó diez minutos temprano y dijo 'yo siempre soy puntual, no como otros' (léase el presidente Kirchner)", dice el cable. Con el subtítulo "Todavía amargado", a continuación el texto se refiere a las quejas de Duhalde por una supuesta desatención del entonces mandatario estadounidense.

Es claro que Duhalde todavía siente que fue ignorado por el gobierno de los Estados Unidos durante su mandato como presidente. Dijo que los Estados Unidos "nos faltaron el respeto" y que el presidente Bush ni siquiera lo llamaba por teléfono. Cuando el presidente finalmente llamó a Duhalde en Davos, Duhalde le recomendó que se pusiera en contacto con su sucesor. Duhalde sostuvo que los Estados Unidos no le habían prestado atención a América latina bajo el gobierno de Bush. Le contesté que no estaba de acuerdo y le recordé la situación que los Estados Unidos enfrentó después del 11 de septiembre.

Sin embargo, aunque sentía que él y su país habían sido maltratados por los Estados Unidos, Duhalde no dudó en transmitirle al representante de ese país su apoyo a la reelección de Bush en los comicios de noviembre de ese año ni en ratificar su adhesión al ALCA, el tratado de libre comercio continental que sería derrotado por los países del Mercosur en la cumbre de Mar del Plata de noviembre de 2005. Escribió el embajador:

A pesar de los sentimientos heridos de Duhalde, opinó que la reelección de Bush sería "lo mejor para la Argentina" ya que ha llegado a la conclusión de que las perspectivas para el ALCA y el libre comercio serían mejores bajo una presidencia de Bush.

"Queremos libre comercio pero en condiciones justas", cita el cable al ex vicepresidente de Carlos Menem. "Según Duhalde, el ALCA es indispensable para que la región crezca y deje de ser la más desigual del planeta", explicó Gutiérrez.

Después de sacarse la astilla por el ninguneo de Bush, su amigo del ALCA, Duhalde entró de lleno en el motivo de su visita. O sea, el malestar que le provocaba el rumbo que estaba tomando el gobierno de Kirchner.

Empezó diciendo que esperaba que Kirchner finalizara su mandato por el bien de la Argentina. "Y yo lo quiero ayudar", remató, repitiendo el latiguillo que por entonces usaba en público.

Después alertó al diplomático:

En cuanto a la supuesta ideología izquierdista de Kirchner, no se dejen engañar por la retórica de Kirchner, advirtió Duhalde. Él es esencialmente un pragmático. «Miren su gabinete", dijo. "Son todos de centro o centroderecha", y nombró específicamente al ministro de Defensa, José Pampuro, a [jefe de Gabinete] Alberto Fernández, al ministro del Interior, Aníbal Fernández, al ministro de Salud, Ginés [González] García, y al ministro de Economía, Roberto Lavagna. ¿Y el ministro de Planeamiento, Julio De Vido? "No lo conozco bien, pero es un peronista clásico."

El desacuerdo con Kichner no era ideológico sino político, explicó el visitante de la embajada. "Kirchner cometió el error táctico de colocarse en la centroizquierda del espectro político. 'No va a sacar muchos más votos en la izquierda' pero podría perder muchos por la derecha", le dijo Duhalde al cónsul.

A continuación, Duhalde dijo que le molestaban ciertas actitudes del entonces presidente.

Duhalde criticó la desorganización y la falta de puntualidad de Kirchner. Dijo que esperaba que Kirchner aprendiera después de un tiempo en el cargo. Mientras tanto, no le queda más remedio que ayudarlo y esperar que mejore a medida que pase más tiempo en el cargo.

Para cerrar la reunión, Duhalde dejó algunas definiciones de política internacional. "La única salida para Venezuela es la democracia", opinó sobre el principal enemigo de Washington en la región. "El presidente Álvaro Uribe de Colombia es el presidente preferido de Duhalde", escribió el embajador, en referencia al principal aliado de Bush en el subcontinente.

Gutiérrez cerró el cable recomendando seguir en contacto con el ex presidente.

A pesar de su amargura por el supuesto ninguneo y la ocasional declaración pública contra el ALCA, lo encontré ansioso por mantener contacto y eventualmente intercambiar información.

En su evaluación final, el embajador no veía a Duhalde como un aliado sino como una figura a tener en cuenta. O más bien, como una presencia inquietante.

Como el hombre fuerte de la provincia de Buenos Aires, que contiene un tercio de la población, Duhalde sigue siendo la segunda figura política más poderosa aquí después del Presidente. Su aprobación pública en las encuestas sigue siendo muy negativa al ser acusado por muchos de haber causado la caída del presidente De la Rúa (algo que niega con vehemencia), por la corrupción en el gobierno y en la policía de la provincia de Buenos Aires, y por algunos en la izquierda de ser responsable de la muerte de dos piqueteros en una protesta durante su gobierno.

Duhalde nunca alcanzó el acuerdo electoral que en su reunión con el embajador daba por descontado. Según las crónicas de la época, el ex gobernador bonaerense evaluaba que su peso electoral ameritaba que Kirchner le cediera lugares en las listas nacionales. El entonces presidente no cedió en ese punto y sólo aceptó repartir las principales candidaturas de la provincia de Buenos Aires en tres partes entre el duhaldismo, el kirchnerismo y la estructura del entonces gobernador Felipe Solá, que acababa de romper filas con Duhalde para pasarse al oficialismo. Las negociaciones se estiraron hasta julio de 2005, cuando Kirchner las dio por terminadas, marcando así su ruptura definitiva con el principal impulsor de su llegada a la presidencia.

Dos meses más tarde, en octubre de 2005, Cristina arrasó en la provincia, más que duplicando los votos de Chiche, la esposa de Duhalde.

"En cualquier escenario, Eduardo Duhalde sigue siendo una fuerza con la cual habrá que lidiar en los años venideros", cierra el cable.

D | Duhalde II

En febrero de 2009, Eduardo Duhalde visitó la embajada estadounidense para llevarle al encargado de Negocios, Tom Kelley, sus "pronósticos electorales para 2011". El ex presidente y actual precandidato por el Peronismo Federal dijo que la verdadera carta fuerte de la oposición no era él sino el jefe de gobierno porteño, Mauricio Macri, y que Felipe Solá era la alternativa. Según un cable obtenido por Wikileaks, Duhalde dijo que Reutemann estaba "demasiado viejo" para ser presidente. Cuando le preguntaron por su propia candidatura, ya que tiene la misma edad que Reutemann, dijo que él también estaba "demasiado viejo". Elogió el "coraje y las convicciones" de Cobos, criticó el "liderazgo combativo" de Lilita Carrió y opinó que Solá tiene una "chance sólida". Pero por sobre todos ellos colocó a Macri, de quien dijo: "Le tengo mucha fe".

¿Y Cristina? "Duhalde predijo que ninguno de los Kirchner será un factor en las elecciones de 2011, ni como candidatos ni como generadores de un nuevo líder", escribió el diplomático en su resumen del encuentro.

Antes de entrar de lleno en los pronósticos electorales, Duhalde le dedicó unas cuantas críticas a la gestión del gobierno y a la pareja presidencial. Arrancó diciendo que la Argentina no había hecho nada para prepararse para la crisis financiera internacional y que la decisión de retirarse del Fondo Monetario Internacional había sido ridícula. Terminó con una crítica a la política de derechos humanos.

Haciendo notar que él había mantenido desacuerdos con el FMI, Duhalde dijo que los Kirchner habían exagerado sus críticas al organismo. Tildó de "ridícula" la decisión de Kirchner de pagar de un plumazo la deuda del gobierno argentino con el FMI.

Duhalde dijo que esperaba que Argentina arreglara con el FMI para volver a tener acceso a sus líneas de crédito, según el cable.

Después pasó a describir los errores que, según él, cometía el gobierno en el manejo de la una economía que venía creciendo a tasas chinas. Duhalde llamó a Kichner "incompetente", señala el cable. "En vez de aprovechar el boom económico después de la crisis de 2001-2 para desarrollar un plan con los sectores productivos, como Brasil y Chile, los Kirchner eligieron pelearse con ellos", evaluó el informante de la embajada.

Las críticas y las descalificaciones al gobierno argentino en la sede dipomática extranjera no terminaron ahí. Duhalde no quiso dejar pasar la oportunidad para opinar sobre la política de derechos humanos de los Kirchner, a la que volvió a describir como una defensa de los muertos, tal como había declarado públicamente en 2004 a la revista *Noticias*.

Néstor y Cristina son lo mismo. Los dos son agresivos con todos. En vez de ver cómo construir el futuro de la Argentina, se enfocan en rectificar los abusos del pasado para defender los derechos humanos de los muertos.

Duhalde también se permitió criticar las políticas antidrogas del gobierno nacional, las mismas por las cuales

Duhalde había sido universalmente defenestrado durante su gestión como gobernador de Buenos Aires bajo la presidencia de Menem. Escribió el diplomático estadounidense:

> Duhalde criticó al ministro de Justicia, Aníbal Fernández, por decir que el consumo de drogas no es un problema serio en la Argentina. Dijo que Fernández está demasiado enfocado en el lado de la demanda y no ha mejorado el aspecto de la prevención.

El ex gobernador bonaerense dijo además que a los Kirchner les faltaba experiencia, que habían abusado de la confianza pública, y se lamentó que la gente creyera lo que ellos dicen por televisión "porque es todo mentira".

Por esas razones, los Kichner no serán un factor en las presidenciales de 2011, concluyó Duhalde. "No han hecho nada para conectar con la gente. Son temidos, no amados", opinó.

En cambio, habló maravillas de Macri.

> Expresó que le tenía mucha fe al acalde de Buenos Aires, Maurico Macri, haciendo notar que era relativamente joven (48 años) y que tenía fuertes vínculos con los hombres de negocios de la Argentina. Opinó que un acuerdo entre el gobierno y las empresas era esencial para la gobernabilidad.

También habló bien de Solá.

> Duhalde indicó que el ex gobernador de la provincia de Buenos Aires Felipe Solá, un peronista que se alejó de los Kirchner a fines de 2008, tenía una chance sólida. Duhalde hizo notar que la honestidad de Solá y su ges-

tión como gobernador de la provincia más grande del país aumentaban su atractivo como candidato.

Reutemann ya no contaba con el apoyo del ex presidente. Duhalde le había ofrecido públicamente la candidatura peronista para las presidenciales de 1998, pero el santafecino había declinado y Duhalde terminó perdiendo esa elección, derrotado por Fernando de la Rúa. Once años después, Duhalde sentía que ya era tarde para el ex piloto de Fórmula Uno. Lo comparó con John McCain, el candidato republicano de 71 años que había sido derrotado el año anterior por Barack Obama en las presidenciales estadounidenses.

Dice el cable:

Consideró a Reutemann (a los 67 años, la misma edad que Duhalde) como "demasiado viejo" para llevar adelante una campaña presidencial exitosa, llamándolo "nuestro McCain".

Duhalde reconoció que, desde su particular punto de vista, el rótulo "demasiado viejo para ser presidente" también le cabía a él. "Camino a la reunión, Duhalde le comentó a un funcionario de esta embajada que él también era demasiado viejo para ser un aspirante presidencial", continúa el cable.

Pasando a la Unión Cívica Radical (UCR), Duhalde señaló que el problema con el partido es que nadie había llenado el vacío dejado por Raúl Alfonsín.

Duhalde sugirió que Cobos podría ser ese líder. Su coraje y su convicción para enfrentar a los Kirchner al emitir el voto decisivo para la derrota del aumento al impuesto a las exportaciones del agro son ampliamente admirados y sostienen su popularidad a nivel nacional.

Con respecto a Lilita Carrió, Duhalde dio a entender que no tenía muchas chances. Dice el cable:

> Remarcó que su liderazgo combativo es similar al de los Kirchner, haciéndose muy difícil para ella poder construir puentes con otras agrupaciones o conectar con el electorado.

El veterano dirigente político no habló de otros posibles candidatos presidenciales; tampoco le preguntaron.

Para los funcionarios de la embajada la reunión con Duhalde había sido provechosa pero algo los preocupaba. No querían que el gobierno se enterase de que habían cambiado figuritas con un referente de la oposición. Kelly cierra el cable con estas palabras:

> Dada la posibilidad real de que este ex presidente sea el cerebro detrás del resurgimiento de una alianza antikirchnerista, le pedimos y recibimos garantías de Duhalde de que de ninguna manera hará pública esta conversación.

Un año después de declararse demasiado viejo para el intento, Duhalde lanzó su precandidatura presidencial en noviembre de 2010 con una metáfora pugilística: "Vamos a ganar por *knockout* o por abandono".

E | Edelap

En diciembre de 2008, el ministro de Planificación, Julio De Vido, le presentó al entonces embajador estadounidense Earl Anthony Wayne una carpeta con presuntas evidencias de una millonaria evasión fiscal por parte de la multinacional energética AES, cuya subsidiaria argentina Edelap provee servicio eléctrico a 300.000 bonaerenses. Un cable filtrado por Wikileaks revela detalles inéditos de la supuesta maniobra de vaciamiento de Edelap y de fraude al fisco detectada por una auditoría del Ente Nacional Regulador de la Electricidad (ENRE), que derivó en una querella criminal que el mismo ENRE presentó en la Justicia federal pocos días después de la reunión entre el embajador y el ministro, que tuvo lugar un mes después de que un fuerte apagón dejara sin electricidad durante cuatro días a cientos de miles de usuarios del Gran Buenos Aires, incluyendo clientes de Edelap, generando un fuerte descontento social. El cable cuenta que en la reunión también participó Roberto Baratta, subsecretario de Desarrollo del Ministerio de Planificación.

Dice el despacho firmado por el entonces encargado de Negocios de la embajada, Tom Kelley:

> En la reunión del 2 de diciembre, De Vido detalló esta información al embajador. El ministro señaló que si Edelap no hubiera estado en una situación financiera tan po-

bre, la auditoría probablemente no se habría realizado. De Vido dijo que la entidad uruguaya con propósitos especiales, AES Platense Investments Uruguay SCA, había comprado deuda sin interés en poder del Bank Boston (actual Standard Bank) y el Banco Galicia con un sustancial descuento del precio nominal. Destacó que sospechaba una evasión fiscal por parte de AES a través de esta entidad uruguaya con "beneficios fiscales", considerándolo un tema legal muy serio que ameritaba ser revisado por la Justicia. Finalmente, De Vido le pasó al embajador copias de la auditoría del ENRE destacando que AES había comprado deuda de Edelap por un total de 76,8 millones de pesos (22,6 millones de dólares) al Bank Boston y al Banco Galicia por un valor descontado de 52,7 millones de pesos (1,5 millones de dólares). El documento también mostró que una de las subsidiarias de AES, dueña de una parte de Edelap, Luz de La Plata S.A., había anotado en sus libros unos 19 millones de pesos (5,6 millones de dólares) en gastos de gerenciamiento en el período 2001-2007, que Baratta llamó "excesiva". En total, los documentos mostraron transferencias internas entre empresas del grupo por un total 55,3 millones de pesos. Baratta también cuestionó la idoneidad de los gerentes de Edelap, acusándolos de haber echado sin causa a sus mejores técnicos el año pasado.

La maniobra de Edelap fue explicada en un comunicado del Ministerio de Planificación emitido el mismo día de la reunión, aunque sin las cifras ni el nombre de la entidad uruguaya que figuran en la carpeta que De Vido, según el cable, le entregó al embajador.

El comunicado vinculaba las irregularidades contables en la compra de la deuda de Edelap por parte de AES a bancos comerciales bajo "condiciones beneficiosas" (o sea, con descuento) mientras mantienen estas obligaciones en los libros de AES a valor nominal. Al hacerlo, sostiene el comunicado, AES efectivamente transfirió el margen de ganancia de Edelap a otras compañías del grupo AES, incluyendo la subsidiaria de AES Luz de La Plata S.A., que también se benefició cobrándole a Edelap costos de gerenciamiento exorbitantes.

[...]

Como resultado de semejante manipulación contable, sostiene el comunicado, AES ha mantenido a Edelap endeudada a tal punto que no ha podido alcanzar el nivel de inversiones de capital necesario para mantener un servicio de calidad para su base de más de 300.000 clientes.

El cable dice que De Vido le anunció al embajador que iba a querellar a Edelap y le aclaró que no tenía nada que ver con que se tratara de una empresa con matriz estadounidense. De hecho, esa semana había estado cerrando negocios con otras dos empresas de ese país, le dijo al embajador, y también había citado a los gerentes de AES en los Estados Unidos porque había perdido la confianza en los responsables del gerenciamiento local. "Se trata de un caso aislado", De Vido le explicó a Wayne en el cable.

Después de la reunión con De Vido, consejeros económicos de la embajada se pusieron en contacto con el presidente de Edelap, Eduardo Dutrey, y con el director de Relaciones Externas de la empresa, Guillermo Baistrocchi, sigue el cable. Dice que la embajada los conoce bien, que viene haciendo lobby por la empresa desde 2006, y nombra un proyecto en la provincia de Buenos Aires y otro en el Conurbano. Los gerentes locales dicen que, en realidad, la deuda se compró para ayudar a que Edelap "pudiera preservar su capital para hacer inversiones", dice el cable.

El despacho continúa con una larga explicación de cómo Edelap supuestamente viene perdiendo plata desde la pesificación porque el gobierno no le aumenta las tarifas. Pero en su defensa, los representantes de la empresa aportan un par de datos llamativos. Primero, que a raíz de la operación con la entidad uruguaya, Edelap adquirió "una deuda con AES de tres a tres millones y medio de dólares por año, entre capital e interés". Los gerentes aclararon que Edelap todavía no pagó ni un peso de esa deuda, lo cual significa que es deuda que Edelap acumula. El otro dato es que a pesar de haber pagado costos de gerenciamiento supuestamente altísimos, según los gerentes de Edelap citados en el cable, en los últimos siete años la empresa nunca le había rendido dividendos a sus accionistas.

Sigue el cable:

De Vido dijo que había citado a dos altos ejecutivos de AES en su casa matriz de Virgina, Estados Unidos, Andrés Vesey, presidente de la sección América Latina de AES, y Bernardo Da Santos, jefe de Gabinete de Vesey, para reunirse el 3 de diciembre. De Vido dijo que se había reunido con Vesey, un ciudadano venezolano, anteriormente en Nueva York. De Vido dijo que el gerenciamiento local de AES no sería incluido en la reunión. (En un aparte, Baratta explicó que el gobierno argentino no confiaba en el gerenciamiento local de AES.) De Vido prometió que su Ministerio de Planificación le transmitiría los resultados de la reunión a la embajada.

El autor del cable recoge después la opinión de "analistas locales" que permanecen anónimos, quienes sostienen que la "campaña de demonización" de AES es un apriete del gobierno para obligarlos a vender barato, presumiblemente a la empresa local Electroingeniería.

En cuanto a las pruebas presentadas por De Vido, que en ningún momento son cuestionadas por los gerentes de Edelap, los "analistas" explican que el límite entre la evasión y la elusión fiscal es difuso, dice el cable.

Analistas del sector energético aquí concuerdan que una fina línea separa a las estrategias legales de minimización impositiva, incluyendo el uso de empresas controlantes en el Uruguay, y la evasión fiscal ilegal.

Al final del cable, el embajador Wayne dice que dada la situación, lo mejor es esperar a ver qué pasa en la reunión entre De Vido y los jerarcas extranjeros de AES.

Lo que pasó en esa reunión, según otro cable filtrado por Wikileaks, es que a su término el representante de la AES anunció un nuevo plan de inversiones para su subsidiaria argentina, y el ENRE dejó de accionar la causa judicial contra Edelap. Cuenta un cable de febrero de 2009:

Guillermo Baistrocchi, gerente de Relaciones Institucionales de Edelap, le confirmó el 30 de diciembre al funcionario de Economía (de la embajada) la interpretación de De Vido de dónde se encuentran las discusiones entre AES y el gobierno de la Argentina. Dijo que el director de Operaciones de AES, Andrés Gluski, se había reunido con De Vido poco antes de Navidad.
[...]
Según Baistrocchi, De Vido le dijo a Gluski que el gobierno de la Argentina tiene evidencia sustancial de irregularidades contables y "básicamente nos dijo, inviertan más o váyanse" de la Argentina. AES ya había tomado la decisión de permanecer en la Argentina. De hecho, Gluski le presentó a De Vido el plan de inversiones de Edelap (al que De Vido se refirió el 29 de diciembre). Como parte

de este plan, AES anunció el 15 de diciembre su intención de invertir 300 millones de pesos (87 millones de dólares) en mejoras durante los próximos cinco años. Baistrocchi dijo que AES se reuniría otra vez con De Vido el 8 de enero para discutir el plan de inversiones. Mientras tanto, comentó que De Vido nunca explicitó una oferta *quid pro quo*. Baistrocchi dijo que espera que el gobierno de la Argentina retirará sus demandas si considera que el plan de inversiones es satisfactorio.

Según el cable, Baistrocchi dijo que no cree que De Vido quiera forzar la venta de Edelap, como decían los "analistas" en el otro despacho, sino más bien presionarla para que invierta más. En un aparte, el autor del cable explica por qué, a su juicio, la percepción de Baistrocchi es acertada.

Comentario: un elemento clave en esto es la política. El gobierno de la Argentina quiere asegurarse de que las empresas distribuidoras de energía hagan las inversiones necesarias para prevenir apagones significativos en 2009, un año electoral.

Al igual que en el cable anterior, el autor no cuestiona las acusaciones contra AES.

Más allá de las especulaciones de la prensa, parece que el gobierno de la Argentina está usando estas acusaciones —sean ciertas o no— como contrapeso para forzar a AES a hacer inversiones necesarias para evitar apagones (como los que ocurrieron a fines de noviembre y precedieron las acusaciones en contra de Edelap).

Es cierto. Antes del gran apagón de noviembre de 2008 y la consiguiente auditoría del ENRE, la relación entre el gobierno y Edelap había transitado carriles armoniosos, según un tercer cable filtrado por Wikileaks, en este caso de junio de 2006.

El cable da cuenta de un encuentro entre De Vido y el entonces embajador Lino Gutiérrez en el que se trataron temas vinculados a varias empresas estadounidenses. En la reunión, De Vido se refirió a los representantes de AES como "amigos" y "buena gente". Según el despacho, el acercamiento se dio en 2004 cuando AES se convirtió en la primera empresa extranjera en suspender su demanda ante el tribunal internacional del CIADI por la pesificación asimétrica de 2001, a cambio de una renegociación de tarifas con el gobierno. Dice el cable firmado por Gutiérrez:

> El embajador mencionó a la compañía de generación y distribución eléctrica estadounidense AES y preguntó por la implementación del acuerdo de noviembre de 2004 entre la subsidiaria de AES, Edelap y el gobierno de la Argentina, que derivó en la suspensión de la demanda de Edelap en el CIADI y un aumento de tarifa del 28% que ha estado cobrando desde abril de 2005. [...]
> De Vido contestó que AES era "la compañía que estaba más avanzada" en sus negociaciones con el gobierno de la Argentina para empezar el proceso tarifario (conseguir un aumento), dijo, "pero no es un momento oportuno para hacerlo, por lo menos hasta junio". "Son amigos", continuó, "son buena gente". Y son los únicos que consiguieron un aumento para establecer un cuadro tarifario inicial en tiempos de emergencia. Esto es mérito de ellos, no nuestro. Pero ahora no es momento para aumentos tarifarios adicionales.

Después de la denuncia por evasión impositiva, la relación entre el gobierno y la empresa no volvió a ser la misma. Un último cable de esta serie, fechado en diciembre de 2009, señala que el gerente Baistrocchi le confirmó a funcionarios de la embajada que la causa penal contra Edelap seguía inactiva y que la empresa tenía la esperanza de que el gobierno retirara la presentación. Sin embargo, el representante de la empresa eléctrica aclaró que el gobierno le debe mucho dinero en concepto de reintegros preaprobados y que, si no los paga antes de mediados de 2010, Edelap se va a encontrar en serios problemas. Dice el cable firmado por Gutiérrez:

> De acuerdo con una resolución emitida en 2008 por el ministro de Planificación, Julio De Vido, CAMMESA (empresa estatal) le pagará créditos a una compañía por el monto equivalente al que ha sido reinvertido por esa firma en proyectos para mantener la capacidad de generación de energía. A la fecha, AES ha recibido aprobación para el desembolso de 84 millones de dólares pero ha recibido solamente 4 millones de dólares. Es el segundo nivel más bajo de las diez empresas que, según datos de CAMMESA, han calificado para recibir pagos bajo este programa, muy por debajo del promedio de 38% de aprobaciones. Las aprobaciones de AES son las más grandes de todas las compañías. Esta considerable deuda, además de las bajas tarifas que AES viene recibiendo desde hace años, ha puesto a la compañía en un brete financiero. Como Guillermo Baistrocchi, gerente de Relaciones Institucionales de AES, le dijo al embajador, "si no cobramos [esta deuda] en la primera parte de 2010, vamos a estar en problemas".

Los cables filtrados por Wikileaks, que van desde 2004 hasta principios de 2010, no vuelven a mencionar a Edelap.

La historia temina con final abierto. Edelap no quebró en 2010 ni tampoco en 2011, y el ENRE no retiró su demanda judicial pero por ahora tampoco la impulsa. A juzgar por las declaraciones de De Vido en los últimos tiempos, la relación continúa tirante.

En noviembre de 2010 el ministro amenazó a Edelap y a otras dos empresas eléctricas (Edesur y Edenor) con quitarles la concesión si no pagaban la última cuota del canon de 2,4 millones de pesos que le adeudaban al Estado.

En enero de este año, tras otra serie de apagones, De Vido le ordenó al ENRE que auditara a Edelap, Edenor y Edesur, y anunció que las tres empresas recibirían fuertes multas por la falla en el servicio. El ministro señaló:

Tal como fue comunicado la semana pasada, las tres compañías serán multadas por las interrupciones de los últimos días de diciembre, considerando la cantidad y duración de los cortes de servicio registrados en sus respectivas áreas de acción, y de los niveles de desinversión que se verifiquen.

F | Falklands

Para la embajada estadounidense en Londres las Malvinas no existen, al menos con ese nombre. El término usado para referirse a las islas del Atlántico Sur es "Falklands", y el nombre que se le da al gobierno de Gran Bretaña es "Gobierno de Su Majestad".

Un cable confidencial de febrero del año pasado da cuenta de la "tensión" causada por la llegada a las islas de una plataforma de perforación petrolera submarina y por el anuncio argentino de que los buques necesitarán permisos de navegación antes de partir de la Argentina o de atravesar aguas argentinas para llegar a las Malvinas.

A diferencia de los cables originados en Buenos Aires, que se refieren a las islas como "Malvinas/Falklands", en los cables londinenses desaparece la denominación argentina, como si la soberanía reclamada por el país ocupante no estuviera en disputa. En cambio, la referencia al "Gobierno de Su Majestad" (HMG, por su sigla en inglés) aparece tanto en los cables londinenses como en los locales.

El cable sobre las perforaciones dice que, según la petrolera británica Desire que las llevó adelante, las Malvinas están llenas de petróleo. Pero también agrega que otra importante empresa petrolera, Exxon Mobil, no cree que haya suficiente petróleo en las islas como para obtener una ganancia.

[Desire] estima un potencial de petróleo recuperable de 3.500 millones de barriles de petróleo, con más de 250 millones de metros cúbicos en reservas de gas. (Nota: El director internacional de Exxon Mobil, Brad Corson, nos dijo que no cree que haya suficiente petróleo en la plataforma continental de las islas Falklands como para arrojar una ganancia, citando las anteriores exploraciones petroleras de Shell que fueron abandonadas. Fin de nota.)

El despacho está firmado por el embajador Lou Susman, ex director de Citigroup y uno de los principales recaudadores de las campañas del presidente Barack Obama. Explica los pasos necesarios, tanto en las Malvinas como en el Reino Unido, para obtener una licencia petrolera en el mar que rodea a las islas y describe brevemente a las empresas que la obtuvieron. Afirma que, según Desire, las perforaciones se van a hacer en "aguas británicas" y por lo tanto acordes con el derecho internacional, algo que la Argentina disputa. "Desire dijo que la plataforma está firmemente en aguas británicas y que las protestas argentinas no alterarán sus actividades."

Según el cable, la medida adoptada por el gobierno argentino no afecta mayormente la producción petrolera ni la economía de las islas mientras permanezcan abiertas rutas de abastecimiento desde Chile, Uruguay y Brasil, y destaca que los cruceros turísticos no han tenido que interrumpir sus viajes a la islas.

[El funcionario de la Cancillería británica] Allen dijo que el gobierno argentino hasta ahora había aplicado su decreto, requiriendo permisos de navegación entre el continente y las Falklands, a un solo barco y que los cruceros continúan viajando entre puertos argentinos y las islas. En todo caso, dijo que hay poco tráfico aéreo y marítimo entre las Falklands y la Argentina. Allen señaló que las principales vías de abastecimiento a las islas eran un vuelo semanal desde Chile y barcos cargueros que llegaban desde Uruguay y Brasil. Expresó cierta preocupación porque en el futuro esos países podrían estar tentados a restringir esas vías en solidaridad con la Argentina.

```
Falklands—24 de febrero del 2010


C O N F I D E N T I A L SECTION 01 OF 03 LONDON 000439

NOFORN
SIPDIS

E.O. 12958: DECL: 02/24/2020
TAGS: EPET, ECON, ENRG, PREL, AR, UK
SUBJECT: UK DEFENDS OIL EXPLORATION IN FALKLAND ISLANDS
WATERS

LONDON 00000439  001.3 OF 003


Classified By: Economic Minister Counselor Richard
Albright for reasons
 1.4 b & d

 1.  (SBU) Summary:  Tensions between the UK and
Argentina
have risen over the past week over a new drilling
campaign in
the Falkland Islands Outer Conservation zone following
the
arrival of the Ocean Guardian oil rig in the North
Falkland
Basin.  Argentina contested the right of the Falkland
Island's Government to license drilling for oil off the
coast
of the islands, a British Overseas Territory.  UK Foreign
Secretary David Miliband firmly defended the oil
exploration
as being in accordance with international law.  Desire
Petroleum, a UK-headquartered company, started drilling
the
first well on February 22 following five years of
```

Hasta el momento, las preocupaciones del funcionario británico no se materializaron mayormente, más allá del apoyo diplomático de esos países al reclamo de soberanía argentina en distintos foros internacionales. Sin embargo, en septiembre del año pasado, Uruguay le negó acceso al puerto de Montevideo a una nave militar británica camino a las Malvinas.

Con respecto al reclamo argentino de soberanía sobre las islas, el funcionario británico citado en el cable dice que su gobierno mantiene su posición histórica de ignorarlo mientras los isleños se nieguen a considerarlo. A pesar de esa actitud, el funcionario británico reconoce que el gobierno argentino de Cristina Kirchner ha llevado adelante su protesta por la negativa británica de manera pacífica y legal.

[Allen] nos dijo el 24 de febrero que ningún gobierno del Reino Unido negociaría la soberanía de las Falklands sin la aprobación de los isleños, quienes en su inmensa mayoría se oponen a tales discusiones. Enfatizó el deseo del Gobierno de Su Majestad de continuar cooperando con la Argentina en todos los demás temas. Dijo que la Argentina parecía haber adoptado una postura similar, señalando un comunicado del gobierno de la Argentina diciendo que procedería de manera legal y diplomática.

El cable señala que ni la empresa ni Gran Bretaña quieren problemas con la Argentina por su decisión de permitir la explotación de petróleo en las Malvinas.

Desire confirmó que las acciones de la Argentina no interrumpirán sus actividades y dijo que había trabajado con la Cancillería británica [Foreign and Commonwealth Office] para tratar de evitar que aumentaran las tensiones. Con la excepción de las Falklands, el

Gobierno de Su Majestad busca continuar su relación normal con la Argentina.

En su comentario final, el autor del cable sugiere que las perforaciones británicas en Malvinas son una realidad que la Argentina debería aceptar sin chistar.

Funcionarios del gobierno del Reino Unido han hecho declaraciones públicas afirmando el derecho de las Islas Falklands de emitir licencias de exploración y produción en su zona de conservación, de acuerdo con el derecho internacional. Sin embargo, le han bajado el perfil al enfrentamiento y el impacto que podría tener en la relación entre el Reino Unido y la Argentina y otros países de América latina. El Gobierno de Su Majestad ha intentado evitar una escalada de las tensiones y enfatizó que desea tener relaciones normales con la Argentina en todos los demás temas. La Cancillería británica espera que la Argentina proceda de manera similar.

G | Garré

La Argentina es el país con el gasto militar más bajo en la región pero la embajada de los Estados Unidos no se da por vencida, cuenta un cable diplomático de septiembre de 2008 que muestra el entusiasmo que generó en el sector militar de la sede diplomática el anuncio de la renegociación de la deuda con el Club de París, en tanto dicho pago levantaría las sanciones que no permiten a los Estados Unidos venderle ciertas armas al país.

El cable, firmado por el entonces embajador Earl Anthony Wayne, se refiere a un encuentro con la entonces ministra de Defensa y actual ministra de Seguridad, Nilda Garré, para discutir distintos aspectos de la cooperación militar entre ambos países. Además de presentar sus planes de financiamiento para la compra del material bélico, los estadounidenses intentaron convencerla de que la Argentina participara de maniobras navales en Florida y enviara un agregado naval permanente a la Cuarta Flota, también con sede en Florida. No hubo éxito, pero según el cable se llevaron una buena impresión de la ministra.

La reunión tuvo lugar en el despacho de Garré. El embajador fue con el jefe de la misión militar de la embajada y con el agregado naval.

Después de los párrafos introductorios, el relato de la reunión empieza así:

El embajador comenzó [la reunión] felicitando a Garré por la decisión de su gobierno de pagar la deuda con el Club de París, haciendo notar que el pago de la porción estadounidense de la deuda facilitaría el levantamiento de las sanciones Brooke y habilitaría potencialmente a la Argentina para acceder a Financiamiento Militar Extranjero [FMF, en inglés], material de apoyo para la Iniciativa Global de Misiones de Paz [GPOI, en inglés] y Artículos de Defensa Excedentes [EDA, en inglés]. Garré estuvo de acuerdo en que podrían ser herramientas útiles.

Las sanciones Brooke corresponden a una ley del Congreso estadounidense que impide la venta de armas a países en default con entidades financieras de ese país. Según el Instituto de Investigación para la Paz Internacional con sede en Estocolmo, los Estados Unidos son el principal proveedor de armas en la región, seguidos por Rusia. La Argentina es, junto con Paraguay, el país de menor gasto militar en proporción a su Producto Bruto Interno. Según un estudio del instituto, mientras el gasto militar en la región creció más de un 30% en los últimos cinco años, con Colombia, Brasil, Venezuela y Chile liderando el pelotón, durante ese período el gasto militar se redujo en la Argentina.

Sin embargo, en otro cable de diciembre de 2006, la embajada denota cierta preocupación por un viaje de Garré a países donde las sanciones Brooke no rigen. Dice el cable, preparado para la visita a la Argentina del subsecretario de Defensa, Michael Coulter:

La ministra Garré ha completado recientemente un viaje a Francia, Ucrania y Rusia, ostensiblemente para hablar de posibles compras de armas. El Ministerio negó tener planes específicos, por ahora, de hacer compras significativas pero parece que los rusos están ansiosos por abrir el mercado latinoamericano. Las sanciones Brooke no permiten los FMF ni EDA pero las ventas militares extranjeras están disponibles, y es una opción viable que el Ministerio de Defensa debería explorar cuando busque nuevos equipos y sistemas.

El cable escrito para el subsecretario Coulter expresa "incertidumbre" porque las reformas en el ministerio a cargo de Garré se llevaron adelante "sin apoyo significativo" de los Estados Unidos, y explica por qué la embajada cree que Garré prescindió de la ayuda estadounidense para la reforma.

Para el Ministerio de Defensa es determinante que las Fuerzas Armadas no estén involucradas en el combate de las nuevas amenazas del terrorismo transnacional, el narcotráfico, el crimen transnacional, etc. El Ministerio de Defensa percibe incorrectamente que los Estados Unidos quieren forzar su visión estratégica en la región y empujar a los militares a asumir esas misiones.

Volviendo al cable de la reunión entre Garré y el embajador, después de la oferta de financiar compras de armamento, Wayne sumó un par de invitaciones que la ministra elegantemente prometió evaluar pero que eventualmente declinó.

La primera invitación era para formar parte de la Cuarta Flota, una estructura naval estadounidense surgida durante el gobierno de Bush con la misión de patrullar América latina y el Caribe. Según Washington, la Cuarta Flota es apenas un nombre surgido de una reestructuración de recursos pero para la mayoría de los países de la región su misión y eventual despliegue representan una amenaza. Señala el cable:

Garré también se mantuvo neutral cuando el embajador mencionó el establecimiento de la Cuarta Flota, iniciativa que había criticado en público. Garré escuchó la sugerencia del embajador de que la Argentina considere una visita a la sede de la flota en Mayport, Florida, o el establecimiento de un funcionario que actúe como enlace permanente. Garré pidió una confirmación de que Brasil, Chile y Ecuador habían establecido funcionarios de enlace permanente y pareció sorprendida de que lo hubieran hecho.

La Argentina nunca nombró un enlace para la Cuarta Flota pero el embajador pareció darse por satisfecho con que Garré no le enrostrara sus críticas al despliegue de la formación naval estadounidense en la región. "Esta vez fue moderada en sus comentarios sobre la Cuarta Flota", la elogió el embajador en su comentario final.

Después de hablar de la Cuarta Flota, llegó la segunda invitación: participar en las maniobras "Unitas de Oro" que se llevarían adelante en Florida en 2009 para festejar el 50° aniversario de las maniobras navales conjuntas entre los Estados Unidos y los países latinoamericanos. En 2007 hubo maniobras Unitas en la Argentina con la participación de buques de guerra de la Argentina, Chile, Brasil, España y los Estados Unidos. La Argentina ya había comunicado que no formaría parte del Unitas de Oro pero el embajador le recordó a la ministra que había 900.000 buenas razones para cambiar de opinión. Dice el cable:

> El embajador señaló que seguía esperanzado con que la Argentina reconsiderara su participación en los ejercicios Unitas de Oro, explicando que el gobierno de los Estados Unidos tenía 900.000 dólares disponibles para apoyar la participación argentina.

Las maniobras Unitas de Oro se hicieron en abril de 2009 sin la participación argentina. Señala el portal de Pan American Defense:

La noticia no positiva es la ausencia de unidades navales o aeronavales argentinas, tradicional participante de estos eventos y una de las armadas líderes de la región a causa de sus medios y experiencia. Esto ya había sido adelantado por la ministra argentina de Defensa, señora Nilda Garré, a su par estadounidense Robert Gates, en ocasión del encuentro que ambos sostuvieron durante la VIII Conferencia de Ministros de Defensa de las Américas, que se desarrolló en la ciudad de Banff, Canadá, en septiembre del año pasado.

Después de hablar del Unitas de Oro, la ministra y el embajador pasaron al tema del batallón de Cascos Azules que están armando conjuntamente la Argentina y Chile. Además, Garré le agradeció al embajador el envío de un experto en logística para asesorarla con las reformas del ministerio. También hablaron de un programa informático que se había estancado, y la ministra agradeció el envío de dos helicópteros a la base naval de Bahía Blanca.

Aunque Garré había esquivado los dos pedidos que le llevó Wayne, el embajador concluyó que la reunión había sido constructiva.

La reunión estuvo llamativamente libre de posturas ideológicas por parte de Garré y de sus asesores, como había ocurrido en reuniones previas… Dentro de todo fue una reunión constructiva en la que ella dio su aprobación clara a la continuidad de la colaboración en varios frentes.

H | Hezbolá

El movimiento chiita Hezbolá, considerado una organización terrorista por los Estados Unidos, la Unión Europea e Israel, "mantiene una estructura real" en la zona de la Triple Frontera, "incluyendo la presencia de agentes experimentados", informaron oficiales de inteligencia argentinos a funcionarios estadounidenses, según un cable de septiembre de 2007 filtrado por Wikileaks.

La Argentina, Brasil y Paraguay no consideran a Hezbolá, que forma parte del gobierno libanés, una organización terrorista. Los tres países niegan oficialmente que se realicen actividades terroristas en la Triple Frontera, una zona de alto interés turístico. Hasta el momento no se ha confirmado ninguna actividad terrorista en el área, donde vive una importante comunidad musulmana en los lados brasileño y paraguayo. Sin embargo, la Justicia argentina ha sostenido en distintas instancias que los responsables del atentado a la AMIA recibieron apoyo logístico desde la Triple Frontera.

Según el cable, el embajador Wayne se reunió con los jefes de contraterrorismo de la Gendarmería y de la Policía Federal en Puerto Iguazú el 6 de septiembre de 2007. Los especialistas argentinos le informaron al embajador sobre los "blancos de interés" que habían identificado en relación con el financiamiento del terrorismo en la región.

Precisaron los informantes argentinos:

Se trata por lo general de empresas familiares, con vínculos con el Líbano, involucradas en el contrabando de
artículos electrónicos, electrodomésticos y ropa pero
también involucrados en el tráfico de personas, armas
y drogas. El dinero se transfiere ya sea en efectivo o a
través de casas de cambio legales e ilegales.

El embajador le hizo notar a sus informantes que Al Ca-
pone había caído por evasión impositiva y no por crímenes
violentos. Dice el cable:

Los oficiales de Policía y Gendarmería estuvieron de
acuerdo en que ésta era la manera más efectiva de tratar
a estos grupos en la Triple Frontera.

El 11 de septiembre de 2007, el embajador se reunió con
el director de la Secretaría de Inteligencia del Estado (Héctor Icazuriaga) y con un subdirector del organismo, señala
el cable. La embajada consideró que el encuentro era un
gesto de buena voluntad del gobierno argentino, considerando que la fecha de la reunión coincidió con el sexto
aniversario del atentado a las Torres Gemelas.

Los jefes de inteligencia le "enfatizaron" al embajador
que Hezbolá mantiene una "estructura real" en los lados
paraguayo y brasileño de la Triple Frontera, "incluyendo
individuos que han sido agentes experimentados de Hezbolá en el Líbano y que, por lo tanto, representan una
amenaza potencial más grave". Los expertos argentinos
agregaron que ya existe en la Triple Frontera una "segunda
generación de militantes de Hezbolá, que se han esforzado
por integrarse a la comunidad".

En diciembre de 2006, el Departamento de Tesoro estadounidense había designado a nueve individuos y dos organizaciones con sede en la Triple Frontera como miembros de la red "terrorista" de Hezbolá. Los espías argentinos señalaron que dicha identificación alteró el comportamiento de los supuestos terroristas en la Triple Frontera. "Los miembros locales de Hezbolá se pusieron muy nerviosos y tomaron medidas para regularizar sus prácticas comerciales y pagar impuestos. En general se han vuelto mucho más circunspectos", señalaron los responsables de la inteligencia argentina, que no fueron identificados por sus nombres en el cable diplomático, como tampoco fueron identificados los agentes de Hezbolá.

I | Irán

No dice que hay un nuevo enemigo en el patio trasero, pero lo da a entender. Un país con "una agenda antiestadounidense", capaz de lanzar "ataques terroristas en la región" y de proveer "ayuda letal a sus aliados" no puede ser otra cosa. El Departamento de Estado no oculta su preocupación por la creciente presencia de Irán en América latina, según revela un cable de enero de 2009.

El documento firmado por Hillary Clinton arranca diciendo que sus analistas políticos y de inteligencia han llegado a la conclusión de que Irán busca romper su aislamiento diplomático relacionándose con gobiernos de izquierda en Latinoamérica y el Caribe:

> Los analistas de Washington afirman que Teherán está extendiendo su mano a los países latinoamericanos para reducir su aislamiento diplomático e incrementar sus vínculos con gobiernos izquierdistas en la región, que, según la percepción de Teherán, comparten su agenda antiestadounidense. El presidente Mahmoud Ahmadinejad parece ser la fuerza impulsora detrás de esta política.

A continuación, los analistas aseguran que el presidente venezolano en persona se ha encargado de ampliar los contactos de Irán en la región:

[Ahmadinejad] ha recibido asistencia personal del presidente venezolano Hugo Chávez. Los vínculos de Irán con Venezuela incluyen cooperación militar, son los más cercanos y significativos.

A continuación el cable vincula a Irán y Venezuela con una agrupación a la que Washington acusa de terrorista.

Dado el alto perfil de la relación Irán-Venezuela, individuos vinculados a Hezbolá probablemente vean a Venezuela como un santuario donde pueden recaudar fondos y apoyar actividades sin interferencias. Otros gobiernos populistas como Bolivia, Ecuador y Nicaragua también han buscado vínculos políticos y económicos con Irán. Irán ha establecido centros culturales en dieciséis países de la región y embajadas en diez países.

Hezbolá es un movimiento islamista chiita que forma parte del gobierno del Líbano y recibe asistencia de Siria e Irán. Hezbolá ha sido declarada una organización terrorista por los Estados Unidos, la Unión Europea e Israel, pero no por los gobiernos sudamericanos. En los cables filtrados por Wikileaks, el gobierno estadounidense da por hecho que el atentado a la AMIA fue cometido por Hezbolá por orden del gobierno iraní. El juez argentino que lleva la causa no ha acusado al Estado iraní ni a Hezbolá pero ha librado órdenes de captura de varios funcionarios y ex funcionarios iraníes acusados de planear el atentado. Además, sostiene la hipótesis de la fiscalía de que un miliciano suicida de Hezbolá habría manejado el coche bomba que provocó el estallido del edificio.

Tras alertar sobre la presencia iraní en la región, el resto del cable que Washington mandó a más de treinta embajadas de países latinoamericanos y caribeños se lee como un manual de todo lo que usted siempre quiso saber pero nunca se animó a preguntar. En este caso, sobre lo que los Estados Unidos piensan de Irán y de su aparición como actor regional; desde los acuerdos culturales hasta la venta de armas, desde los convenios comerciales hasta los intercambios estudiantiles.

El cable está escrito como una larga lista de preguntas que el Departamento de Estado les hace a sus distintas delegaciones en el exterior. Aunque el autor reconoce que "carecemos de información sobre los objetivos estratégicos de Irán en la región", las preguntas están llenas de presupuestos y afirmaciones, cuando no de prejuicios.

Por ejemplo, cuando pregunta: "¿Teherán tiene alguna intención de usar la región como escenario de potenciales ataques terroristas, ya sea en forma directa o a través de terceros?", en realidad está diciendo que Irán podría hacer eso. Lo mismo cuando inquiere: "¿Hay personas ligadas con el gobierno de Irán dedicadas a la creación de redes para potenciales ataques terroristas en el futuro?" o "¿Irán apoya actividades terroristas en la región?". Cuando indaga si Irán ha establecido contactos con "otros" grupos "terroristas o radicales" como las Fuerzas Armadas Revolucionarias de Colombia (FARC), está diciendo que Irán también lo es.

Las preguntas, decenas de ellas, van desde lo más general, como "¿cuál es el tamaño de la comunidad chiita?", hasta casos puntuales de presunto tráfico de armas: "¿Hay información adicional del cargamento iraní que iba a Caracas y fue interceptado en Turquía?".

En los cables de Wikileaks no figura la respuesta de la embajada argentina, aunque la preocupación por Irán (y por Hezbolá) aparece reflejada en muchos de ellos. Ya sea en contactos de la embajada con miembros del Gabinete, jueces, legisladores y jefes militares, policiales y de inteligencia, como en el seguimiento de protestas y actividades públicas de personas identificadas con el gobierno iraní, como el líder piquetero Luis D'Elía, y en el apoyo público a los pedidos de captura en la causa AMIA. A nivel regional, claro, el interés de Washington es mucho más amplio.

Algunas preguntas sobre política exterior:

¿Qué tan alta prioridad es América latina para Irán? ¿Irán piensa convertirse en un actor clave en América latina? Específicamente, ¿qué países, grupos, e individuos son vistos por Irán como facilitadores en la región? ¿Qué países aparecen como el foco de los esfuerzos iraníes para lograr avances políticos, diplomáticos y económicos en la región, y dónde planean una expansión? ¿Cuáles son los temas domésticos, políticos, económicos o sociales que pueden impactar por su vinculación en América latina?

Preguntas sobre Hezbolá:

¿Teherán y Hezbolá comparten objetivos en la región? ¿Cuáles serían las intenciones y las capacidades de Irán para fortalecer los objetivos de Hezbolá en la región?

Preguntas sobre espionaje:

¿A qué nivel Irán y sus aliados latinoamericanos colaboran en contra de los Estados Unidos? ¿De qué manera Irán ha sido exitoso en agitar más el sentimiento antiestadounidense en la región? ¿A qué nivel Irán y Latinoamérica comparten información de inteligencia? ¿Irán ha provisto entrenamiento de inteligencia en la región?

Preguntas sobre economía:

¿Cómo está haciendo Irán para sortear sanciones económicas a través de sus vínculos en la región? ¿Qué clase de relaciones comerciales y financieras se están desarrollando entre Irán y la región? ¿Las sociedades comerciales con

Irán dan ganancias? ¿Qué países han expandido su comercio con Irán? ¿Estos acuerdos comerciales se refieren a bienes específicos o sectores? ¿Hay algún indicio de intercambio incluyendo materiales o tecnología que podría usarse para el desarrollo de armamento por parte de Irán?

Más preguntas sobre Venezuela:

¿Qué pasa con la renovación de los motores de los aviones F-5 venezolanos, el contrato de Irán con Venezuela para construir fábricas de municiones y el acuerdo con Venezuela para procurar de Irán vehículos aéreos no piloteados (UAVS, en inglés) y aviones livianos iraníes?

El orgullo herido del vendedor que ha perdido a un viejo cliente tiñe la siguiente pregunta:

¿Cuál es el nivel de satisfación con respecto a la calidad de los materiales militares y el entrenamiento que ha recibido de Irán?

Preguntas y más preguntas. Sobre el programa de visas de Ecuador, sobre los contactos latinoamericanos de los espías iraníes y de la Guardia Revolucionaria. En un momento se pregunta si Irán colabora con los países de la región en la lucha antidroga. En otro pasaje pregunta si Irán está involucrado en el narcotráfico.

¿Qué hacen los conversos latinoamericanos, u otros estudiantes de adoctrinamiento iraní, cuando regresan a la región de su entrenamiento en Irán?

Para contestarla hay que seguirlos.

J | Jaque

Según una serie de cuatro cables filtrados por Wikileaks, el gobernador de Mendoza, Celso Jaque, defendió el nombramiento de un ex represor para comandar una fuerza policial entrenada por agentes de la DEA, la agencia antidrogas estadounidense.

Los cables dan cuenta de los frecuentes contactos que el gobernador mantuvo entre 2007 y 2009 con el embajador de los Estados Unidos, Earl Anthony Wayne. En esos encuentros, Jaque se explayó sobre sus teorías de seguridad ciudadana y repetidamente requirió y obtuvo la asistencia de organismos de seguridad estadounidenses para poder plasmarla.

Uno de esos cables relata una reunión que tuvo lugar el 6 de febrero de 2008, once días antes de que el periodista Horacio Verbitsky publicara en *Página/12* que el entonces viceministro de Seguridad de Mendoza, el comisario Carlos Rico Tejeiro, había sido entrenado como comando por el ex coronel Mohamed Alí Seineldín, a quien secundó en un organismo especial creado para hacer desaparecer personas durante el campeonato mundial de fútbol de 1978.

Jaque llevaba dos meses en la gobernación. Asistió a la reunión con el entonces secretario de Seguridad, Carlos Aguinaga. Sin nombrar al represor ni recordar sus antecedentes, Jaque describió el flamante nombramiento de la siguiente manera:

Explicó que había creado una nueva posición, una Subsecretaría de Seguridad, y que había nombrado a un ex jefe de policía provincial para que fuera responsable de la administración diaria de la policía provincial. Jaque explicó que ya había habido demasiado gerenciamiento "político" de la policía y no suficiente gerenciamiento profesional.

Jaque debió despedir a Rico Tejeiro y a Aguinaga tres meses más tarde, en mayo de 2008, bajo una fuerte presión de la justicia, de los Kirchner, los organismos de derechos humanos y gran parte de la opinión pública mendocina.

En la misma reunión en que elogió al represor, el gobernador mendocino se mostró interesado en las distintas oportunidades de entrenamiento para sus fuerzas de seguridad que podían ofrecer las agencias estadounidenses. El jefe de Asuntos Legales de la embajada ofreció algunas opciones y el embajador agregó algunas más, entre ellas la posibilidad de ir a ILEA-Lima, la melliza de ILEA-San Salvador, la escuela de entrenamiento antiterrorista que recientemente estuvo en las noticias por el adiestramiento que allí recibieron dos policías municipales de Mauricio Macri.

El agregado legal describió una variedad de posibles opciones para proveer entrenamiento a la policía provincial y a los fiscales. Explicó que el FBI conduce cursos de gerenciamiento en forma constante a los que son invitados estudiantes de fuerzas de seguridad extranjeras, y que su oficina ha coordinado entrenamiento para jueces y fiscales en otras provincias. El embajador dijo que también hay opciones de entrenamiento a través de Lima-ILEA, y señaló que actualmente estaban identificando oficiales de fuerzas de seguridad para que participen de un curso de una semana de seguridad ciudadana en Perú.

Después de describir el fenómeno de la drogadicción en su provincia y del tráfico a través de la cordillera, el gobernador le extendió su bienvenida a la agencia antidrogas de los Estados Unidos.

Señaló que la cooperación previa entre la oficina local de la DEA y dijo que le gustaría fortalecerla. Jaque dijo que la presencia de la DEA en Mendoza sería bienvenida.

No era la primera vez que Jaque le explicaba a Wayne los lineamientos de su política de seguridad. El político mendocino había sido más específico en una reunión con Wayne en agosto de 2007, a la que asistió con el bodeguero José Zuccardi. Por entonces, Jaque era senador nacional y candidato a gobernador.

Por su parte, la policía mendocina arrastraba un prontuario nefasto. Escribió Verbitsky en marzo de 2008:

Mendoza tiene un récord negro. En la última década, personal policial fue responsable de la desaparición o del asesinato de cuatro jóvenes, lo cual dio lugar a denuncias contra el Estado nacional ante el sistema interamericano de protección a los derechos humanos.

Para Jaque, el problema no era la falta de cursos de derechos humanos sino la falta de práctica de tiro al blanco. Escribió el embajador:

Dijo que en el curso de entrenamiento de seis meses los cadetes sólo disparan sus armas cinco veces. Dijo que esto lleva a policías en las calles con insuficiente entrenamiento en armas de fuego como para saber cuándo disparar y cuándo hacer alto el fuego. Agregó que los cadetes deben pagar por sus propias balas pero que no les suben el sueldo por el costo extra.

A continuación, se dio a entender que los barrios pobres promueven la corrupción policial.

Jaque dijo que si la policía continúa recibiendo haberes insuficientes y se espera que se pague sus propias municiones, los agentes terminarán viviendo en los mismos barrios bravos donde viven los "delincuentes" que deben perseguir.

En la reunión con Zuccardi y Wayne, Jaque criticó con dureza a la administración del entonces gobernador, el actual vicepresidente y líder opositor Julio Cobos.

Mencionó que la administración de Cobos había comprado una cantidad de patrulleros nuevos pero cuando Jaque fue a ver los vehículos encontró que muchos tenían motores fundidos y gomas pinchadas. Lo citó como un ejemplo grosero del desmanejo de Cobos en la provincia.

El siguiente cable de esta serie es de junio de 2008. El embajador habla con familiaridad del gobernador: "Me he reunido con Jaque en una variedad de oportunidades", recuerda, y termina diciendo que avizora "una excelente relación de cooperación mutua" entre la embajada y la provincia. En este cable, como en todos los de la serie, el tema de la seguridad es prioritario. Sin embargo, el despacho no hace mención a los relevos compulsivos de Rico Tejeiro y Aguinaga, ocurridos pocas semanas antes.

En cambio, el gobernador hace un balance "positivo" de los primeros seis meses de su gestión.

El gobernador Jaque dijo que su administración había hecho grandes avances para mejorar el trabajo de la policía local pero agregó que es un esfuerzo de largo plazo.

El gobernador enumeró a continuación una larga lista de compras de equipos de seguridad que, según él, se habían hecho durante su gestión. Después, Jaque volvió a pedir entrenamiento policial de los Estados Unidos. A raíz de ese pedido, en un apartado del cable el embajador confirma que la DEA ya estaba entrenando personal de seguridad y funcionarios judiciales mendocinos:

> Nota: las fuerzas de seguridad de la embajada, lideradas por la oficina de la DEA en el país, mantienen buenas relaciones con agentes de las fuerzas de seguridad de Mendoza y han provisto entrenamiento a fuerzas de seguridad mendocinas y al sector judicial.

El último cable de la serie corresponde a una reunión de febrero de 2009. Esta vez, Jaque no fue acompañado por su secretario de Seguridad sino por el de Gestión Pública, Rodrigo Ruete, que acababa de llegar de un viaje a los Estados Unidos auspiciado por la embajada, al que había descripto como "una experiencia invalorable".

Otra vez, el cable arranca y termina con el tema de la seguridad: "Jaque dijo que la inseguridad era su principal prioridad", empieza. "Como siempre, Jaque estuvo hablador. Nos alientan sus elogios por el apoyo de la DEA y su deseo de mayor colaboración por parte de la embajada", concluye.

J | Joaquín

A lo largo de los años, el periodista Joaquín Morales Solá se ha convertido en el principal portavoz de la embajada de los Estados Unidos, que suele elegir sus columnas dominicales en el diario *La Nación* para transmitir, con las reservas del caso, sus *talking points* o mensajes a la opinión pública argentina. Pero según los cables diplomáticos filtrados por Wikileaks, la relación entre el periodista y la sede diplomática es más compleja de lo que se infiere de la lectura del diario.

Morales Solá es uno de los periodistas más mencionados, con 44 referencias, en los 2.510 despachos que van desde mediados de 2004 hasta principios de 2010. Algunos detalles lo separan del resto. Por ejemplo, los cables se refieren a él como *leading columnist* de la Argentina. Salvo que escriba o diga algo que le guste particularmente a la embajada, en cuyo caso se convierte en columnista *premier*. Hay muy pocos "premier" en los Wikileaks de la Argentina. Soledad Silveyra aparece en un cable como actriz "premier". Otro detalle es el uso de la abreviatura del nombre. En algunos cables, Morales Solá es simplemente "JMS", y ese privilegio se reserva para los archiconocidos, como "CKF", "NK" y muy pocos más.

Un despacho de agosto de 2008 relata un almuerzo en la embajada con JMS como único invitado.

En una conversación de una hora, el columnista político líder Joaquín Morales Solá (JMS) describió que el gobierno de la Argentina lucha por zafar con soluciones de corto plazo y que está peligrosamente fuera de contacto con la sociedad argentina.

"Informamos de sus opiniones porque Morales Solá es uno de los más astutos y mejor conectados analistas de la escena argentina", dice varias líneas más abajo.

El cable cuenta que en el almuerzo, más que transmitirle un mensaje, la embajada quería sacarle el jugo a su condición de analista "astuto y bien conectado".

El columnista de *La Nación*, JMS, probablemente el comentarista político más influyente de la Argentina, se reunió con el embajador el 15 de agosto. El jefe de Prensa y el asistente de Prensa también estuvieron presentes. JMS, que tiene múltiples fuentes en el gobierno, acaparó la conversación y tenía muchas cosas interesantes para contar.

En su análisis para la embajada, tras descalificar a Néstor Kirchner como un peligro para las instituciones políticas del país, Morales Solá ridiculizó a la presidenta Cristina Kirchner.

JMS caracterizó a CFK como inteligente y talentosa pero peligrosamente fuera de contacto con la realidad. Su discurso no se corresponde con lo que está pasando en la sociedad argentina, como la suba de precios que encuentran los consumidores en las tiendas. CFK se aferra tozudamente a sus opiniones y posturas, y le es muy difícil admitir cualquier error o aceptar otros puntos de vista. JMS sostiene que parte del problema es que CFK ha vivido en una burbuja durante años, saltando de un helicóptero a un avión sin nunca haber tenido que manejar el presupuesto de su familia. Como resultado, cuando sus asesores le dicen que la inflación es un problema, desecha la noticia, creyendo que sus asesores están influidos negativamente por los medios opositores al gobierno.

Según muestra el cable, Morales Solá no regaló su astuto análisis basado en sus buenos contactos dentro del gobierno. A cambio de sus impresiones, el columnista logró que la embajada avalara lo que él quería escribir.

Al parecer, JMS advertía cierta preocupación de Washington respecto de las políticas del gobierno argentino. Según el cable, sobre el final del almuerzo le preguntó al entonces embajador Earl Anthony Wayne por un artículo que había salido el día anterior en el diario *Clarín*. La nota hablaba de la preocupación de un funcionario estadounidense por la situación económica en la Argentina. El embajador desmintió la tapa, dijo que era mentira. Señaló que los Estados Unidos estaban "complacidos" con el estado de las relaciones entre ambos países. Agregó que, naturalmente, algunas empresas estadounidenses estaban preocupadas por lo que leían en los diarios sobre los conflictos en la Argentina pero destacó que los analistas en Wall Street no anticipaban ninguna crisis económica o cesación de pagos.

JMS preguntó por un informe en el diario *Clarín* según el cual el subsecretario Shannon estaba tan preocupado por las condiciones en la Argentina que había pensado en hacer una rápida visita para tener una mejor idea de la seriedad de la situación actual y ofrecer su consejo a CFK. El embajador Wayne refutó esta historia, diciendo que los problemas argentinos deben resolverlos los argentinos. Recordó cómo el subsecretario Shannon estuvo recientemente en la Argentina para una ronda de consultas bilaterales, reflejando nuestra mirada de largo plazo sobre la importancia de la Argentina y el valor que le asignamos a nuestra relación bilateral. Estamos complacidos con el estado de nuestro diálogo bilateral y buscamos maneras de fortalecer nuestros vínculos con la Argentina y sus instituciones democráticas, dijo el embajador. En cuanto a la situación económica, las empresas estadounidenses, así como otras empresas que operan en la Argentina, están preocupadas por la inflación y por el clima de inversiones pero no sienten que hayan sido discriminadas por el gobierno de la Argentina. De hecho, el gobierno de la Argentina continúa alentando y promoviendo inversiones de los Estados Unidos. El embajador concedió que naturalmente hay preocupación en los Estados Unidos por la situación de la Argentina dado el conflicto reciente y los informes de prensa. Citó como ejemplo la visita del funcionario del Congreso, Carl Meacham, quien transmitió la preocupación del senador Richard Lugar. El embajador señaló, sin embargo, que la mayoría de los analistas de Wall Street no predicen un default o un derrumbe de la economía. JMS dijo que estaba de acuerdo con ese punto de vista.

A continuación, el autor del cable cierra su despacho con una ironía sobre la interpretación parcial e interesada que hizo el periodista de los dichos del embajador:

JMS sintetizó estos comentarios en una única oración de su columna del 17 de agosto en *La Nación*: "En Washington, fuentes confiables de la capital estadounidense concuerdan lacónicamente en que hay preocupación".

K | Kristinn

Kristinn Hrafnsson, 49 años, islandés, periodista de profesión, número dos y vocero de Wikileaks. En los últimos meses su organización ha revelado cientos de miles de cables secretos de las Fuerzas Armadas y de la diplomacia de los Estados Unidos. Habla como periodista y piensa como periodista, mostrándose más interesado por el devenir de su oficio que por el impacto político de las revelaciones en el escenario internacional. Ayer contestó preguntas por teléfono desde su casa en alguna parte de su país natal. Acababa de llegar de Gran Bretaña, donde estuvo reunido con el líder de la organización, el ex hacker australiano Julian Assange. De fondo se escuchaban las voces de la famila Hrafnsson, que esperaba ansiosa para almorzar el final del reportaje.

¿Cómo evalúa el impacto de las revelaciones de Wikileaks?

No queda claro, es difícil de imaginar. Lo que está claro es que está produciendo un efecto serio al introducir la idea de lo que representa Wikileaks, una idea que ya ha cambiado el paisaje del periodismo y de la política. También hemos visto que material del "Cablegate" sobre Túnez disparó el encadenamiento de eventos en el norte de África. La documentación sobre el gobierno de Túnez de la embajada en Libia se volcó a las redes sociales y aceleró los eventos. Por supuesto que no fue la única razón… pero funcionó como uno de los disparadores de la caída del gobierno corrupto de Ben Alí. El coraje de la gente de Túnez ha alentado a la de Egipto, Siria, Libia, Bahrein, Yemen; se ha producido una suerte de efecto dominó. Nos enteramos de que en América latina también está teniendo impacto, que ha influido en las elecciones en Perú, en el Congo, y en India el gobierno debe rendir cuentas por graves acusaciones de corrupción. Hemos notado una influencia muy grande, también en el periodismo y en la difusión de la idea de Wikileaks. Un socio nuestro, la cadena Al-Jazeera, habilitó un sitio seguro para recibir información secreta y así obtuvo "los papeles de Palestina" (sobre la negociación secreta entre el gobierno de Israel y la autoridad Palestina). Los publicó junto con el diario *The Guardian* y tuvieron muchísima difusión en todo el mundo.

¿Y cuál es la idea de Wikileaks?

Se trata de la creencia fundamental de que demasiada confidencialidad eventualmente esconde la corrupción de aquellos que ostentan el poder. Estudios recientes muestran un fuerte aumento en la cantidad de secretos que mantienen los gobiernos y los niveles de seguridad utilizados para proteger esos secretos. No nos olvidemos que la invasión de Irak se basó en una fabricación porque no había apoyo para la medida que tomó el gobierno de los Estados Unidos. La información tenía que esconderse para asegurar la salud del gobierno. Si se ataca el secreto, aumenta la transparencia y encontramos las soluciones correctas en temas clave, mejorando la justicia.

Ustedes atacan la idea de confidencialidad, de la necesidad de mantener secretos, pero al mismo tiempo Wikileaks debe mantener muchos secretos propios para sobrevivir. De hecho, su función es proteger la identidad secreta del denunciante para que pueda divulgar su información.

La comparación no me parece justa. Por razones obvias, ante los ataques de corporaciones muy poderosas como el Pentágono para cerrar Wikileaks, con sus estrategias alocadas para dañar a Wikileaks, del absurdo de acusarnos de terrorismo, más las declaraciones de políticos estadounidenses pidiendo nuestra eliminación, hemos debido tomar algunas precauciones. Pero somos una organización pequeña y, es cierto, ofrecemos una plataforma segura para delatores de situaciones ilegales. La mayoría de nuestra gente permanece anónima por razones obvias de seguridad. Lo demás es público. Todas nuestras actividades e información aparece en nuestro sitio web. Igualmente me parece un error comparar la privacidad individual de una persona o grupo con la confidencialidad de los gobiernos. El derecho de un gobierno a la privacidad es un absurdo. Los gobiernos deberían representar la igualdad entre la gente. En cambio, la manera anónima en que los delatores pueden usar nuestra plataforma es la base de nuestra idea: cuanto más secreto, menos igualdad.

¿Le llama la atención que The New York Times *y* The Guardian, *los dos diarios que más se beneficiaron con las revelaciones de Wikileaks, hayan publicado en sus primeras planas sendos perfiles ridiculizando al fundador de Wikileaks, como si fuera un loco paranoico?*

Me parece bastante hipócrita de su parte. Ni siquiera se molestaron en ocultar sus motivaciones. Al día siguiente de empezar a publicar la información del "Cablegate", *The New York Times* publicó en su primera página una descripción muy crítica de Assange y muy dañina para la organización, y el ombudsman del diario explicó que era para "inocularse de las críticas del gobierno". Básicamente le están diciendo a sus lectores que le hacen caso al gobierno. Que no son libres para operar un diario libre. No solamente eso: sin nuestro consentimiento le mostraron parte de la documentación al gobierno antes de publicarla y le pidieron autorización para publicarla, y estuvieron de acuerdo en no publicar algunas cosas que el gobierno les pidió. Este extraño comportamiento fue defendido por el ombudsman del diario, que supuestamente debería defender los intereses de los lectores.

¿*Y* The Guardian?

No sé cuál es la fuente de sus extraños ataques. Asumieron una posición deshonrosa pero no quiero especular acerca de sus motivaciones.

Más allá de las críticas que le hicieron a Assange, no me parece mal que los diarios consulten a una fuente para conocer su punto de vista antes de escribir sobre ella.

Pero acá no se trata de llamar a un individuo para ofrecerle un derecho de réplica sino que le advirtieron a un gobierno sobre el contenido de las filtraciones. Y conocemos otros ejemplos en los que el gobierno de los Estados Unidos le pidió a los diarios que no publicaran determinada información y los diarios no la publicaron. En cuanto a los perfiles de Julian [Assange], para escribirlos solamente contactaron a personas que habían abandonado la organización.

¿Piensa que la causa por abuso sexual que enfrenta Assange en Suecia fue armada por los servicios secretos del Pentágono?

No puedo entrar en detalles. Por consejo de los abogados tengo que ser muy cuidadoso con lo que digo. Pero hay muchas cosas raras en este caso, cosas fuera de lo normal que hacen muy difícil creer que fue un procedimiento transparente. Por ejemplo, hace una semana nos sorprendimos al enterarnos de que la agente de policía que tomó la declaración era una buena amiga de una de las chicas [denunciantes], que se conocían hace más de un año y medio y habían compartido el mismo círculo político en Suecia. En el sistema legal sueco, eso es suficiente para declarar la nulidad del caso. Otro ejemplo: ¿por qué la orden de captura internacional recibió las más alta prioridad de Interpol, la "notificación roja", reservada para casos de crimen organizado y delitos serios, cuando Julian ni siquiera fue procesado? Hace unas semanas pidieron la captura de Muammar Khadafi con una notificación amarilla, que es menos prioritaria que la roja. Es indignante. Estos son sólo dos ejemplos que lo hacen fuera de lo común, y le agrego otro. Para el jucio de extradicción, en vez de usar al defensor oficial, Suecia contrató a uno de los abogados más caros de Gran Bretaña. Se llama Claire Montgomery y es el mismo que defendió al dictador chileno Augusto Pinochet ante el pedido de extradición de España en 1988. Debe cobrar entre 600 y 700 libras (alrededor de 5.000 pesos) por hora. En resumen, una forma muy brutal de tratar a un hombre acusado por un delito menor por el que ni siquiera ha sido procesado. ¿Qué hay debajo o detrás de esto? En el periodismo hay un viejo refrán: "Si camina como un pato y hace cuac como un pato, debe ser un pato".

¿Qué opina de los planes de las empresas de seguridad contratadas por el Pentágono para desestabilizarlos, de acuerdo con los documentos que publicaron ustedes y también el grupo Anonymous?

Es cierto, nosotros publicamos en 2008 los planes del Pentágono para cerrarnos y el año pasado Anonymous publicó planes similares de tres contratistas en ciberinteligencia que trabajaban por encargo del Bank of America (y de la Cámara de Comercio de los Estados Unidos). Hace tiempo que nos atacan poderosas empresas financieras. Es el caso de Visa, que pertenece en parte al Bank of America y que cerró nuestro portal de suscripciones en diciembre pasado en una actitud alevosamente discriminatoria, sin habernos acusado nunca de nada, sin haber presentado una sola demanda judicial en nuestra contra. Actuaron como fiscales, jueces y verdugos en su intento de ahorcar a la organización. Nosotros vemos y somos conscientes de que estamos siendo atacados, lo cual incluye ataques a periodistas que simpatizan con nuestras ideas, como Glen Grinwald de *Salon. com*. Nosotros revelamos los planes para desacreditarlo. Tienen planes para jugar sucio en varios frentes. No nos sorprenden los ataques porque se trata de organizaciones poderosas pero si la única respuesta que se les ocurre es jugar sucio mientras perseveran en su falta de transparencia, no van a tener éxito. Podrán encarcelarnos; Wikileaks no depende de un individuo. Cuando Assange fue detenido diez días en Londres por la acusación de Suecia, el sitio siguió funcionando a pleno, revelando nuevos secretos.

¿Tienen más secretos para revelar? ¿Es cierto que tienen información sobre un banco importante? ¿Cuándo darán a conocer su próximo secreto?

Tenemos información y se dará a conocer en su debido momento. Tenemos que ser muy cautelosos con esto. Puedo confirmarte que tenemos información de un banco grande e información sobre contratos de infraestructura de un gobierno pero no puedo decir más.

Sé que han revelado documentos sobre todo el mundo pero los más recientes y difundidos se refieren al gobierno de los Estados Unidos. ¿Wikileaks le apunta a algún objetivo en particular?

Wikileaks no busca ningún blanco ni ataca a nadie ni busca activamente ninguna información. Es el receptor pasivo de información y no le apunta a ninguna empresa o gobierno. Desde su fundación en 2006 ha publicado sobre distintos países alrededor del mundo.

La prensa estadounidense da a entender que Wikileaks tiene los días contados pero en mi reunión con Assange en Ellington Hall no me llevé esa impresión. ¿Usted qué opina?

No estamos para nada en problemas. Lo que escriben es más un deseo del gobierno de los Estados Unidos que una opinión informada. Nuestra idea está muy viva. Han surgido organizaciones inspiradas en ella, como BalkanLeaks, dedicada a investigar el crimen organizado y la corrupción en los países de los Balcanes. Está BrusselsLeaks, que se ocupa de información sobre Bruselas y la Unión Europea. También GreenLeaks, dedicada a temas ambientales. Los mismos medios de prensa han copiado nuestros métodos, habilitando sitios seguros para recibir denuncias. Lo que se ha visto es la liberación de una idea. Podés intentar silenciar a una organización o a una persona pero no podés matar las ideas. Las ideas tienen vida propia y crecen en toda clase de personas, como la cultura de transparencia que en sus orígenes difundió Internet. Pero Internet ha llegado a un punto crítico. Por un lado sirve para espiar, para prácticas corruptas de gobiernos y empresas, para violar la privacidad de individuos, sobre todo si son tan descuidados como para subir información a sitios como Facebook. Pero también ha sido un catalizador muy importante de cambio social.

¿Qué opina de las iniciativas de gobierno abierto que han surgido en los últimos tiempos, sobre todo en Canadá y el Reino Unido?

Me parecen bien. Los gobiernos deben basarse en la idea de transparencia. Cuanta más transparencia, menos corrupción.

Usted dice que todo lo que es público debe ser revelado pero Wikileaks también difunde información de empresas privadas. ¿Las empresas tampoco deben tener secretos?

Claro. Las grandes empresas son muy poderosas y sus secretos pueden ser muy dañinos para distintos sectores de la economía. Vimos cómo los movimientos de dinero en sus cuentas secretas de paraísos fiscales hicieron colapsar sectores enteros de la economía mundial. Mi país, Islandia, entró en default, lo cual provocó el sufrimiento de muchísimas personas. Wikileaks expuso cómo la compañía Trafigura descargaba desechos tóxicos en África pero los diarios no podían publicar la información en Gran Bretaña porque la compañía había conseguido una orden judicial para que la información no saliera. Wikileaks la publicó en su portal internacional porque si no, no salía en ningún lado.

L | Lanata

En mayo de 2008, dos meses después del lanzamiento del hoy extinto diario *Crítica de la Argentina*, el periodista Jorge Lanata se reunió con el embajador estadounidense para vender avisos. Lanata y su entonces socio, el ex juez federal Gabriel Cavallo, le pidieron al embajador que convenciera a las multinacionales con sede en los Estados Unidos de pautar publicidad en el matutino.

El argumento de venta no era malo. Lanata dijo que, desde que había salido el diario, el gobierno estaba haciendo lo imposible para hundirlo. Le espantan los avisadores, le hackean el sitio web, le pinchan los teléfonos. No quieren un diario opositor dirigido al mismo público de centroizquierda que el oficialismo corteja. Pero a la sociedad en general, incluyendo las multinacionales estadounidenses, les conviene que exista un diario independiente como *Crítica* porque no se puede confiar en un pulpo como *Clarín*. Entonces, Cavallo le pidió al embajador Earl Anthony Wayne que averiguara si las empresas estadounidenses estarían dispuestas a publicar algún aviso.

Un cable de mayo de 2008 filtrado por Wikileaks, que da cuenta de la reunión, no registra respuesta alguna del embajador, ni siquiera un "cualquier cosa te llamo".

El despacho elogia la calidad del diario y la trayectoria de Lanata pero plantea dudas sobre la viabilidad económica del proyecto editorial. Cavallo renunció en noviembre de 2008. Lanata renunció en abril de 2009. *Crítica* cerró en mayo de 2010, cuando era propiedad del empresario español Antonio Mata, dejando 178 trabajadores en la calle. Arranca el cuerpo central del cable:

> Jorge Lanata, director del recientemente lanzado diario *Crítica*, y su socio, el ex juez Gabriel Cavallo, visitaron al embajador el 15 de mayo para decirle que están bajo fuertes presiones del gobierno para acallar sus críticas a la presidenta Cristina Fernández de Kirchner.

> Según el despacho, Lanata abrió la conversación describiendo cómo, según él, era presionado por el gobierno, incluyendo aprietes al supermercadista Alfredo Coto para que no publicara avisos en el diario y al empresario farmacéutico Marcelo Figueiras para que vendiera sus acciones en el matutino.

> Según Lanata, el gobierno ha lanzado un proyecto para estrangular financieramente al diario. Dijo que el foco está puesto en tres cuestiones: 1) amenazas e intimidación a los inversores del diario, entre los que se incluyen líderes en los rubros farmacéuticos y de seguros, y editores, incluyendo a Lanata; 2) presión sobre las empresas privadas para evitar que publiquen avisos en el diario; 3) sofisticados ciberataques al sitio web y a las líneas telefónicas del diario.
> [...]
> Lanata contó cómo Marcelo Figueiras, uno de los propietarios de Laboratorios Richmond, había sido advertido de que no ganaría ningún contrato estatal si seguía apoyando al diario. Uno de los líderes empresarios más influyentes de la Argentina y dueño de una cadena de

supermercados, Alfredo Coto, le ofreció a Lanata dinero en concepto de publicidad pero le pidió que no publicara ningún aviso para no molestar a la administración. Estos son ejemplos evidentes, afirmó Lanata, del problema más general de que los líderes empresarios temen las presiones del gobierno. Según Cavallo, los gobiernos provinciales también le temen al gobierno de la Argentina. Dijo que un gobernador kirchnerista había aceptado poner avisos en *Crítica* pero tuvo que deshacer su compromiso después de una reprimenda de la administración nacional. Lanata dijo que él y otros empleados del diario han recibido repetidas amenazas telefónicas de violencia.

Cavallo reveló haber hablado con Alberto Fernández, pero el entonces jefe de Gabinete se hizo el distraído, según el cable:

Cavallo dijo que mencionó estos temas en una reunión de una hora y media con su viejo amigo el jefe de Gabinete, Alberto Fernández, el 25 de marzo pero sólo obtuvo lo que describió como una respuesta "cínica": "¿Realmente está pasando eso? ¡No tenía idea!".

A esa altura de la conversación se imponía tirar algunos nombres sobre la mesa. Lanata y Cavallo señalaron al entonces secretario de Medios, Enrique Albistur, al ministro de Planificación, Julio De Vido, y a Néstor Kirchner, dice el cable.

Lanata y Cavallo dijeron que creían que el director de Medios de la Casa Rosada, Enrique Albistur, y el ministro de Planificación, Julio De Vido, son los perpetradores e ideólogos de una campaña en su contra, dirigida por el ex presidente Néstor Kirchner.

Lanata fue un paso más allá y dijo que "alguien" del gobierno había querido comprarlo pero que él no se dejó:

Lanata dijo que alguien en el gobierno le había ofrecido hacer un trato por el cual un representante del gobierno formaría parte del equipo editorial para monitorear las cosas. Lanata dijo que esto era inaceptable.

Por lo que dice el cable a continuación, es probable que el embajador se haya sorprendido con el relato del periodista. El despacho sigue así:

Al mismo tiempo, Lanata dijo que no ha publicado ningún artículo sobre las estrategias del gobierno en su diario.

El cable le dedica luego un párrafo al reparto de la pauta oficial, que excluía a *Crítica* y a otros medios, y señala que Albistur estaba siendo investigado por direccionarla hacia medios K. El ahora ex funcionario fue separado del gobierno en octubre de 2009.

El cable sigue con un perfil de Lanata y su diario que los deja muy bien parados.

Lanata es uno de los periodistas y empresario de medios más innovadores de la posdictadura en la Argentina. Fue un pionero en 1987 cuando fundó *Página/12*, un diario de tendencia izquierdista que desafió al gobierno, especialmente durante los años de Menem. *Página/12* es en la actualidad decididamente pro Kirchner, y en particular promueve sus políticas de derechos humanos. En su nuevo diario, *Crítica*, se destacan artículos de análisis en profundidad y editoriales de primera página sobre la realidad argentina, presentados con ingenio e impacto visual.

Nueva información se ha hecho pública recientemente gracias a *Crítica*. Lanata dijo que trata de elevar el nivel de periodismo de investigación en la Argentina, publicando información fáctica que otros diarios eligen ignorar. Un ejemplo sería una historia reciente sobre el presupuesto del viaje de la presidenta Fernández de Kirchner que llamó la atención de otros medios y causó el enojo del gobierno. El periodismo fresco de *Crítica* rápidamente va ganando influencia en la sociedad argentina.

```
Lanata—16 de mayo del 2008

C O N F I D E N T I A L BUENOS AIRES 000663

SIPDIS

E.O. 12958: DECL: 05/16/2018
TAGS: PREL, PGOV, KPAO, OPRC, KMDR, PHUM, AR
SUBJECT: ARGENTINA'S NEW PAPER "CRITICA" UNDER GOVERNMENT
PRESSURE

REF: A. (A) BUENOS AIRES 587
     B. (B) BUENOS AIRES 531


Classified By: Ambassador E. Anthony Wayne for reasons 1.4
(B) and (D).


-------
SUMMARY
-------


1. (C) JORGE LANATA, ONE OF ARGENTINA'S MOST ACCOMPLISHED
JOURNALISTS, CALLED ON AMBASSADOR WAYNE MAY 15 TO ASK FOR
SUPPORT AS HIS RECENTLY LAUNCHED PAPER, "CRITICA," IS
BEING
SUBJECTED TO A GOVERNMENT CAMPAIGN TO CUT OFF FINANCIAL
BACKING AND IN OTHER WAYS COMPLICATE OPERATIONS UNLESS IT
MODERATES ITS CRITICISM OF THE GOVERNMENT. MR. LANATA,
AND
GABRIEL CAVALLO, THE DEPUTY AND BUSINESS PARTNER WHO
ACCOMPANIED HIM, DESCRIBED GOVERNMENT ANGER OVER THEIR
OFTEN
BITING, "LIBERAL LEFT" JOURNALISM AND THE SQUEEZE TACTICS
BEING USED TO TRY TO MUZZLE THE PAPER, INCLUDING
CYBER-ATTACKS. IN THIS REGARD, "CRITICA" IS SUBJECT TO
THE SAME GOA POLICIES THAT HAVE FUELED THE LARGER BATTLE
```

Pero mientras el autor del cable elogia a Lanata por investigar el menemismo y a los Kirchner, considera una "irreverencia" que Lanata le causara "problemas" a *Clarín* y a *La Nación* con las investigaciones de *Crítica* acerca de la empresa cuasi monopólica de producción de papel para diarios, Papel Prensa, propiedad de los dos diarios en sociedad con el Estado:

Sin embargo, la irreverencia de Lanata ha atraído la ira no sólo de los Kichner sino también de los dos diarios principales de la Argentina, *Clarín* y *La Nación*. Los dos se están defendiendo de serios problemas causados por los artículos de *Crítica* sobre la contaminación generada por la planta de papel que les pertenece.

El cable sigue con un análisis de por qué *Crítica* habría molestado tanto al gobierno: ambos persiguen el mismo público, "sectores inclinados hacia la izquierda, grupos de derechos humanos y cierta *inteligentzia*", señala el despacho.

Lanata opina que el gobierno puede aceptar críticas viniendo de la derecha del espectro mediático pero no puede manejar que le peguen desde la izquierda, por lo que Cavallo describió como "una publicación liberal e independiente".

La charla deriva a la guerra gobierno-*Clarín*, prosigue el cable. Lanata dice que no quiere quedar atrapado en el medio pero que si el gobierno sigue presionando tendrá que tomar partido a favor de *Clarín*, aunque considere que la posición dominante del medio es perjudicial para el periodismo argentino. Meses más tarde, Lanata tomaría partido al declarar públicamente que "entre el gobierno y el Grupo

Clarín me quedo con el más débil, que viene a ser Clarín".
El cable anticipa esa declaración:

> El lanzamiento de *Crítica* ha coincidido con la conflictiva relación entre el gobierno y los medios, y especialmente con el mayor conglomerado de medios del país, Clarín. Lanata comentó que el gobierno está tratando de fijar la agenda periodística ejerciendo el máximo control posible sobre los medios. *Crítica* ha intentado mantener un equilibrio delicado en este choque de frente con *Clarín*, adujo Lanata. Dijo que le gustaría discutir sobre libertad de prensa con el gobierno. Pero el dominio monopólico que tiene Clarín sobre los medios argentinos es, a su modo de ver, un serio problema para el país. Si sus problemas siguen creciendo, reconoció, apoyará a los directores de los medios. Por ejemplo, rechazó una invitación para testificar ante el comité de Libertad de Expresión del Congreso porque dijo que no quería ser funcional a un proyecto de la mayoría gobernante para apoyar la pelea del gobierno con Clarín.

Después vino el mangazo, dice el cable. Lanata y Cavallo prepararon el terreno diciéndole al embajador que necesitaban su ayuda. Pero en vez de preguntarles: "¿Qué tipo de ayuda necesitan?", Wayne contestó delicadamente que deberían hacer público lo que dicen que les está pasando.

> Lanata y Cavallo le pidieron ayuda al embajador. Él sugirió que el gobierno podía echarse atrás si otros le hacían saber que conocían los problemas en *Crítica*.

Entonces Cavallo fue al grano y le pidió al representante diplomático que le facilitara algunos avisos, dice el cable. "Cavallo preguntó si el embajador le podía hacer saber a las empresas estadounidenses de la necesidad que tiene *Crítica* de contar con publicidad." Si el embajador contestó, su respuesta no aparece en el cable. Entonces, Lanata le dio otra razón al embajador para solicitar avisos en nombre de su diario, al sugerir que *Crítica* era el último bastión de la "prensa libre" que sobrevivía en la Argentina:

> Lanata predijo más hechos negativos en el futuro inmediato de la Argentina, quizá más escándalos de corrupción, y subrayó que una crisis sería casi insoportable si no existiera una prensa libre para contarle al público lo que está pasando.

El embajador le agradeció la confianza a sus visitantes y los derivó a las organizaciones no gubernamentales que se ocupan de la libertad de expresión. Como para que Lanata y su socio no se fueran con las manos vacías, Wayne se comprometió vagamente a tratar el tema con algún funcionario del gobierno, si es que se daba la oportunidad:

> El embajador Wayne les agradeció a Lanata y a Cavallo por haberle confiado información tan delicada. Estuvieron de acuerdo en que la Argentina y los Estados Unidos tienen un interés común en promover la prensa libre en la Argentina y que es importante seguir trabajando con las ONG que se ocupan de temas relacionados con la libertad de prensa. El embajador dijo que buscará oportunidades para hacerle llegar sus preocupaciones expresadas en la reunión a interlocutores del gobierno de la Argentina que puedan tener alguna influencia.

Ahí termina el relato de la reunión. El cable sigue con un comunicado de la Sociedad Interamericana de Prensa (SIP) que critica la política del gobierno hacia los medios y alerta que la libertad de expresión está afectada. Hacia final del despacho, el embajador saca sus conclusiones. Por el uso reiterado del adjetivo "presunto" da la impresión que no se creyó del todo la denuncia de Lanata, por más que la califique de "creíble". Aunque reconoció que la franqueza del periodista lo había conmovido, dijo que lo vio estresado y sugirió que el diario podría tener problemas financieros que excedían el marco de cualquier campaña para boicotearlo. En todo caso, el autor del cable firmado por Wayne concluye que la situación del periodismo en la Argentina no es tan grave en comparación con lo que sucede en otros países.

Mientras que gran parte de la batalla entre el gobierno de la Argentina y Clarín ha sido pública, la visita del periodista Lanata trajo una visión desde adentro, con detalles de las tácticas detrás de escena del gobierno de la Argentina para moldear a los medios. A juzgar por el enorme *stress* que exhibió, su diario parece en serio riesgo de fracasar, como dicen los rumores, a pesar de que su circulación declarada es buena. Su acercamiento al embajador (una de las presentaciones más francas de los medios que hemos recibido) muestra el alto grado de confianza que los argentinos depositan en el compromiso de los Estados Unidos con la libertad de prensa. El presunto apriete denunciado por Lanata y otros periodistas daña la libertad de expresión. Pero el presunto apriete se queda corto en comparación con las groseras violaciones a la libertad de prensa tales como el cierre de diarios, la censura estatal, la detención de periodistas o la restricción del acceso a Internet. Aunque los Kirchner no han cruzado esas líneas rojas, su ninguneo a los medios y su estrategia confrontativa para tratar con la prensa le dan credibilidad a la sospecha de que están detrás de gran parte del apriete.

Aunque el embajador le dijo a Lanata que hablaría con "algún" funcionario sobre el tema, el cable cierra diciendo que por el momemto la embajada prefiere mantenerse al margen y dejar que el tema lo manejen organizaciones especializadas como la SIP:

La embajada, en su diplomacia pública y sus comunicaciones privadas, continuará señalando el rol de guardián que cumple el cuarto poder en las democracias que funcionan. Sin embargo, creemos que la mejor dirección pública que podemos tomar por ahora es dejar que respetadas asociaciones profesionales e instituciones continúen expresando su preocupaciones, como lo ha hecho la SIP.

El despacho termina ahí pero la historia continúa.

Según otro cable de enero de 2009, filtrado por Wikileaks, la embajada abandonó su "neutralidad" en la pulseada entre el gobierno y los medios opositores después del bloqueo de plantas distribuidoras de los diarios *Clarín* y *La Nación* por parte del sindicato de camioneros en noviembre de 2008. El despacho describe el conflicto gremial que derivó en el bloqueo, aunque sin mencionar la falta de libertad sindical que aqueja al Grupo Clarín. Destaca, en cambio, la alianza entre el gobierno y el líder sindical camionero Hugo Moyano como un firme indicio de que el bloqueo fue alentado desde las altas esferas para presionar a los "medios independientes".

El cable lleva la firma de la sucesora de Wayne, la actual embajadora Vilma Socorro Martínez:

La embajadora ha manifestado su preocupación ante altos funcionarios del gobierno de la Argentina (tales como el ministro de Planificación, Julio De Vido, el ministro del Interior, Florencio Randazzo, y el vice-canciller Victorio Taccetti) por la percepción de que la ofensiva del gobierno contra los medios independientes está dañando la imagen del gobierno de la Argentina en el exterior. Nuestra intención es seguir destacando la importancia de una prensa incondicionalmente libre ante los tomadores de decisiones clave del gobierno de la Argentina.

M | Macri I

Seis meses antes de las elecciones presidenciales de 2007, Mauricio Macri presentó su oferta electoral a la embajada de los Estados Unidos. Y no se anduvo con vueltas: "Somos el primer partido pro mercado y pro negocios en cerca de ochenta años de historia argentina que está listo para asumir el poder", se despachó ante el jefe de misión y el cónsul político de la embajada, según un cable obtenido por Wikileaks.

No queda claro en el despacho con qué gobierno se comparó Macri al retrotraerse ochenta años, porque en 1926 gobernaban los radicales antipersonalistas y el presidente era Marcelo Torcuato de Alvear. La referencia más próxima a los "partidos pro negocios" vendrían a ser los gobiernos conservadores del Fraude Patriótico de principios de siglo, o bien los de la Década Infame de los años treinta.

En cualquier caso ni Macri ni los diplomáticos parecían muy interesados en hablar de historia argentina. Más bien, los representantes de Washington se interesaban por el panorama electoral, mientras el futuro jefe de gobierno porteño buscaba transmitir que ningún otro candidato, local o nacional, sería más amigable con el gobierno de Bush.

Como muestra del clima de negocios que sabe generar, el jefe de gobierno porteño asistió a la reunión acompañado solamente por su íntimo amigo y empresario de la construcción Nicolás Caputo, uno de los principales contratistas de la ciudad. El cable describe a Caputo como un "socio de Macri y hombre de negocios local". Meses más tarde, a poco de asumir Macri en la ciudad, Caputo tuvo que renunciar a una asesoría *ad honorem* en el gobierno porteño por negocios incompatibles con la función pública.

En su reunión con los diplomáticos, además de compararse con los gobiernos conservadores de antaño, Macri les informó cómo se estaba preparando para gobernar. Según el cable, dijo que su fundación, Creer y Crecer, estaba trabajando con el Instituto Republicano de los Estados Unidos (y también con la fundación Konrad Adenauer de Alemania) en la formación de nuevos liderazgos. Claro, el Instituto Republicano pertenece al partido de Bush. Caputo aprovechó para meter un bocadillo: dijo que los jóvenes de la fundación estaban un poco ansiosos porque los vaivenes de la política no les permitían concentrarse en proyectos de largo plazo.

En cuanto al panorama electoral, Macri predijo correctamente que el kirchnerismo ganaría fácilmente las elecciones de 2007 pero dio por sentado que el candidato sería Néstor. Dijo que estaba analizando una alianza con Roberto Lavagna pero no lo convencía porque el ex ministro de Economía se rodeaba con personajes del pasado como Duhalde y Alfonsín. Según el cable, Macri dijo que dudaba entre presentarse a jefe de gobierno o competir a nivel nacional, algo que por entonces era de público conocimiento. Finalmente optó por la elección local y en 2007 ganó la jefatura porteña.

Macri dirigió "fuertes críticas" hacia el gobierno nacional pero también le reconoció algunos logros. El cable dice que el jefe de gobierno fustigó la política exterior de Kirchner, a la que describió como innecesariamente confrontativa, y que ridiculizó los esfuerzos del gobierno por atraer inversiones extranjeras.

Dijo el líder del partido "pro mercado":

La Argentina no está consiguiendo las inversiones que necesita, especialmente en el sector energético. Kirchner piensa que puede ir a Nueva York, tocar la campanita en la Bolsa de Comercio y decirle a los inversores "antes no cumplimos nuestras promesas pero ahora pueden confiar en nosotros". Va a haber que trabajar mucho para traer a los inversores de vuelta a la Argentina.

Los elogios de Macri al gobierno de Kirchner merecieron en el cable el mismo espacio que las críticas. En su valoración de los aspectos positivos del gobierno nacional, Macri se valió de otra referencia histórica, igualmente imprecisa pero más cercana en el tiempo. El autor del cable parafrasea:

Macri destacó que la disciplina fiscal del gobierno es un cambio positivo con respecto a gobiernos pasados, y reconoció que la proyección económica robusta para el año que viene significa que Kirchner probablemente ganaría la reelección.

Después añade una cita textual. Dijo Macri, según transcribió el diplomático estadounidense:

Kirchner entiende que el dinero es poder, por eso ha puesto el énfasis en mantener un superávit fiscal. Por primera vez en la historia reciente, la Argentina no tiene que preocuparse de poder pagar sus cuentas.

El cable de 2007, firmado por el cónsul político Mike Matera, termina diciendo con tono aprobatorio que Macri es el líder de la oposición y que "tiene suficientes recursos y es lo suficientemente joven como para competir (con el kirchnerismo) a largo plazo".

M | Macri II

En agosto de 2008, Mauricio Macri le dijo a un funcionario del Congreso estadounidense que los argentinos estarían contentos de ver caer el gobierno de los Kirchner. Su asesor de política exterior, Diego Guelar, deslizó en la misma reunión que le daba al gobierno nacional sesenta días más de vida, según un cable diplomático obtenido por Wikileaks.

El jefe de gobierno porteño había recibido en su despacho a Carl Meacham, funcionario "senior" del comité de Relaciones Exteriores del Senado estadounidense, envalentonado por el voto no positivo de Cobos en la disputa por la resolución 125.

Macri habló con franqueza del actual gobierno de los Kirchner. Dijo que los argentinos estarían "contentos" si cayeran los Kirchner (alzando su vaso de agua, dijo "si este vaso de agua fuera los Kirchner, todos se estarían peleando por volcarlo").

Según Macri, el principal sostén de los Kirchner en ese momento era "el miedo de que un colapso del gobierno podría traer un retorno al caos de 2001-2002".

En el mismo sentido, pero más directo, Guelar le puso fecha de vencimiento al gobierno nacional. "Diego Guelar, ex embajador argentino en los Estados Unidos, dijo al salir de la reunión que le daba al gobierno sesenta días antes de caer", apuntó el autor del cable.

En el encuentro con el funcionario estadounidense, Macri jugó a dos puntas. Por un lado, dijo que veía débil al gobierno nacional y reclamó que el gobierno estadounidense aumentara el volumen de sus críticas, presumiblemente para debilitarlo aún más. Pero, por otro lado, dijo que él no quería la caída del gobierno porque no era bueno para el país, y que le gustaría que mejoraran las relaciones bilaterales, cosa difícil si Washington seguía su consejo de "confrontar más" con la Argentina.

Refiriéndose al sentimiento antiestadounidense que es rampante en la Argentina, Macri dijo que es alentado desde la presidencia, que no ha dejado de criticar a los Estados Unidos. Esto se ha agravado porque el involucramiento de los Estados Unidos en la Argentina ha sido demasiado "pasivo" y (sus representantes) no han querido desafiar las provocaciones de los Kirchner. Lo cual, a la larga, deja la percepción de que los Estados Unidos "nunca están". "A los argentinos les gusta hacerse los antiestadounidenses", dijo, "pero son muy sensibles a las críticas de los Estados Unidos o a su falta de atención".

Macri agregó que entiende que Bush no le pueda dedicar mucho tiempo a los Kirchner. "Igual, ellos se lo pasan faltándole el respeto y demonizando a los líderes mundiales", disparó el jefe de gobierno. El autor del cable añadió:

Sin embargo, la Argentina necesita mejorar su relación con los Estados Unidos, afirmó Macri, y urgió a los Estados Unidos a reconocer a la Argentina independientemente de sus vecinos en vez de agruparla con países como Bolivia, Ecuador y Venezuela.

MacriII—5 de febrero del 2010

C O N F I D E N T I A L BUENOS AIRES 000081

SIPDIS

E.O. 12958: DECL: 2020/02/05
TAGS: PGOV, EFIN, ECON, PREL, SCUL, AR
SUBJECT: Argentina: Buenos Aires Mayor Macri on Political
Plans and
Current Situation

REF: BUENOS AIRES 25; 09 BUENOS AIRES 1222; 09 BUENOS
AIRES 55

CLASSIFIED BY: Tom Kelly, DCM; REASON: 1.4(B), (D)

1. (SBU) Summary: Ambassador hosted prominent opposition
leader and
Buenos Aires Mayor Mauricio Macri, along with four of his
cabinet
members, to lunch January 28. Macri spoke openly of his
planned
run for president in 2011. He considered President
Cristina
Fernandez de Kirchner and her husband and former
President Nestor
Kirchner to be politically weak, but warned that they
could do
significant damage to Argentina's governance institutions
unless
the opposition united effectively to thwart them. Macri
reiterated
a request for our help in standing-up the new Buenos
Aires
Municipal police force, and he encouraged the U.S.
Government to
send a suitably "emblematic" representative to
Argentina's
bicentennial celebrations in May. In a separate
conversation, a
friend and ally of Macri's told the DCM that he thinks
that Macri
will eventually pull out of the presidential race. End
Summary.

2. (U) Ambassador on January 28 hosted Buenos Aires
Mayor
Mauricio Macri to lunch at her residence. Macri was
accompanied by
four members of his city government team: Chief of

Pasando al tema de su futuro político, a ocho meses de iniciar su gestión en la ciudad, Macri desbordaba de optimismo. Dijo que duplicaba a Cristina Kirchner en intención de voto en la capital y que ya había obtenido éxito lanzando varios proyectos de infraestructura, aunque reconoció que su principal eje de campaña, la transferencia de la policía de Buenos Aires del ámbito federal al municipal, se había empantanado. Para entonces ya había puesto en funcionamiento la policía municipal, cuestión que el despacho no menciona.

En su conclusión, el autor del cable recoge el doble mensaje del jefe de gobierno, sin reparar en la aparente contradicción. Por un lado: "Aunque expresó un gran desprecio por los Kirchner, pareció más preocupado por la falta de continuidad en la política argentina. Por lo tanto considera que CFK debe llegar al final de su término...". Por el otro: "Claramente le gustaría que los Estados Unidos adopten una postura pública más dura con los Kirchner".

En todo caso, la gestión de Macri en la ciudad recién empezaba y el crédito estadounidense seguía abierto.

Los próximos años le darán la oportunidad de demostrar su capacidad de gestión, mientras las circunstancias y los errores del actual gobierno suman apoyo para alguien que puede definirse como diametralmente opuesto a los Kirchner.

M | Macri III

Después de tres años al frente del Gobierno de la Ciudad de Buenos Aires, Mauricio Macri reconoció que su gestión no le había ganado muchos votantes a nivel nacional. "Si recibo apoyo político fuera de Buenos Aires, en el 90% de los casos es por haber dirigido a Boca y en el 10%, por ser jefe de Gobierno de Buenos Aires", dijo Macri en febrero del año pasado durante un almuerzo con la embajadora estadounidense Vilma Socorro Martínez en la residencia de la enviada de Washington.

En ese almuerzo, Macri "presionó" para que la embajada subiera el volumen de sus críticas al gobierno nacional, reclamo que el líder de PRO ya había formulado previamente en forma reiterada ante funcionarios estadounidenses. El cable que reseña la reunión da a entender que eso mucho no le gustó a la embajadora:

> Como ya lo ha hecho en el pasado, Macri presionó sobre el enfoque de los Estados Unidos hacia los Kirchner, urgiendo una crítica más abierta de las medidas que consideramos poco sabias. La embajadora contestó que continuaremos buscando una relación de trabajo positiva con el gobierno de la Argentina.

El jefe de gobierno aprovechó el almuerzo para confirmar su candidatura presidencial: "Macri discutió abiertamente sus ambiciones para la presidencia en 2011 (volvió a confirmar su candidatura en público el 2 de febrero)", dice el cable. Sin embargo, la autora del despacho no parecía muy convencida. En su texto incluyó el testimonio de "un influyente banquero, cuya hija trabaja con Macri" diciendo que el jefe de gobierno eventualmente se retiraría de la carrera presidencial. En mayo de este año, Macri se bajó de su candidatura presidencial para competir por la reelección como jefe de Gobierno porteño.

Por su parte, Macri le explicó a la embajadora cómo el manejo del vestuario y el reparto de entradas en Boca lo habían preparado para aspirar a la primera magistratura. Señala el cable:

Describió su presidencia del Club Atlético Boca Juniors como una educación política sobresaliente, manejar temas como el acceso a la prensa y a los vestuarios, la distribución de asientos y las decisiones comerciales al frente de un club con 15.000 socios.

Después de hablar de Boca, Macri mencionó su entusiasmo con el triunfo de su amigo Sebastián Piñera en Chile, y predijo una ola de gobiernos de derecha en la región. En tal sentido imaginó el triunfo del socialdemócrata José Serra en Brasil en las elecciones de octubre de 2010. Informa el cable:

Macri cree que hay una tendencia regional hacia la derecha, empezando con la elección de Sebastián Piñera en Chile, alguien a quien Macri describió amistosamente como una mente inquieta que siempre sabe más que los demás, cualquiera sea el tema, cultura, deporte, negocios, gobierno e historia. Macri cree que José Serra ganará la presidencia de Brasil, y él espera seguir la tendencia en 2011.

Siete meses después, Dilma Rousseff del Partido de los Trabajadores ganaría las elecciones brasileñas con más de quince puntos de ventaja sobre Serra.

Tras el pantallazo internacional, los comensales repasaron la actualidad nacional. El gobierno venía de echar al presidente del Banco Central, Martín Redrado, por retacearle reservas al Fondo del Bicentenario. El episodio había derivado en un enfrentamiento de poderes que tuvo en vilo a la clase política durante varias semanas. La autora del cable resumió esta parte de la charla con la frase "Los Kirchner, acabados pero peligrosos", y describió el intercambio con Macri de la siguiente manera:

Empezando con la discusión sobre la abrupta decisión de la presidenta Fernández de Kirchner de despedir al presidente del Banco Central, Martín Redrado, Macri se lamentó de lo que describió como el asalto de la presidenta y del primer esposo, Néstor Kirchner, a las instituciones del gobierno y la responsabilidad fiscal. Nótese sobre este último punto que en una visita anterior Macri había reconocido que el gobierno de los Kirchner era el único que cuidó la caja y siempre tuvo superávit fiscal desde que tiene uso de la memoria.

Volviendo al cable, Macri continuó diciendo que los Kirchner habían perdido el apoyo de la clase media. "El estilo agresivo de la primera pareja ha alienado a la mayoría de la gente, dijo, algo que redescubrió recientemente en sus recorridas puerta a puerta por la ciudad", dice el despacho, sin mencionar a "Cacho" ni a "Orlando", dos nombres a los que suele recurrir Macri al describir dichos encuentros.

Sigue el cable: "Hasta aquellos en la clase media baja (la base política de los Kirchner) están frustrados y podridos con el gobierno nacional. En el frente político, una amplia oposición política se había puesto de acuerdo en el peligro que representaban los Kirchner pero tendrán que aprender a trabajar juntos para limitar el daño que ellos puedan hacer de acá a 2010", señala el texto en un tramo donde no queda claro si se trata de la opinión de Macri, de la embajada, o si es compartida por ambos.

Sobre el final del cable aparece el único tema de la gestión macrista que ameritó un par de renglones. Resulta que Macri le pidió ayuda a los Estados Unidos para entrenar a la policía municipal. Entonces la embajadora sugirió la visita de un jefe o ex jefe policial exitoso de una gran ciudad, pero Macri le dobló la apuesta: ¿qué tal si nos mandan a un "personaje emblemático" de los Estados Unidos para el festejo del Bicentenario en el Teatro Colón?, retrucó.

El "emblemático" estadounidense nunca llegó al Bicentenario pero tampoco hizo falta. Para la gala del Colón del 24 de mayo de 2010, Macri se tuvo que arreglar con talento local. Los artistas de la orquesta, el ballet y los coros estables del teatro y la Filarmónica de Buenos Aires se fueron ovacionados tras presentar fragmentos de la ópera *La Bohème*, de Puccini, y del ballet *El lago de los cisnes*, de Tchaikovsky. Según las crónicas de la velada, entre los 2.700 invitados, la presencia más "emblemática" de la noche fue el presidente uruguayo José "Pepe" Mujica.

M | Massa

De todas las críticas hacia Néstor y Cristina Kirchner emitidas por una gran cantidad y variedad de políticos, empresarios y diplomáticos, que por diferentes motivos y en distintos momentos pasaron por la embajada estadounidense entre mediados de 2004 y principios de 2010, en los cables filtrados por Wikileaks nadie se despacha con más saña contra el matrimonio presidencial que el ex jefe de Gabinete y actual intendente de Tigre, Sergio Massa.

Acaso sus descalificaciones hacia la Presidenta y el fallecido ex presidente, reveladas hace unos meses por el diario *El País* de España, podrían atribuirse a un mal día del entonces flamante ex funcionario. Sin embargo, otro cable filtrado por Wikileaks sugiere que, aun mientras estaba en funciones, Massa no ocultaba el profundo malestar que le causaba el gobierno del que formaba parte, y lo compartía abiertamente con su equipo de trabajo. El despacho cuenta cómo un asesor de Massa, Jorge O'Reilly, defenestró al gobierno delante de una delegación de inversores y de un diplomático estadounidense. Lo que más llamó la atención al autor del cable fue el lugar elegido para ensayar esas críticas, ya que O'Reilly las formuló en su propia oficina de la Casa Rosada.

O'Reilly es un importante empresario inmobiliario de la zona norte, ex rugbier del Club Atlético San Isidro (CASI) y numerario del Opus Dei, que fue llevado al gobierno nacional por Massa como asesor *ad honorem* durante su paso por la jefatura de Gabinete entre junio de 2008 y julio de 2009.

Según el cable de la reunión de O'Reilly con los estadounidenses, el asesor de Massa predijo un horizonte de devaluación, recesión y fuga masiva de capitales para ese año 2009, escenario que no se materializó, contradiciendo las predicciones optimistas del gobierno. El entonces representante del gobierno opinó también que en la Argentina no había seguridad jurídica.

En respuesta a preguntas de inversores sobre los pasos que debe tomar el gobierno de la Argentina para atraer nuevos fondos para sostener la inversión en infraestructura primaria, O'Reilly dijo que para crear un buen clima de negocios en la Argentina no hace falta ser un científico de la NASA. La Argentina necesita seguridad jurídica, regulatoria y legislativa, opinó.

O'Reilly dijo que el gobierno permite o impulsa "manipulaciones cortoplacistas", cuestión que él y Massa querían arreglar. Señaló además que estaba a favor de un ajuste en las tarifas de los servicios públicos, cosa que hasta el día de hoy no ocurrió.

Algunos de nosotros, incluyendo al ministro Massa, estamos trabajando para corregir las manipulaciones "cortoplacistas" en las políticas regulatorias e impositivas, dijo O'Reilly. La Argentina necesita ajustar las tarifas de los servicios públicos a niveles "racionales", dijo.

El funcionario rescató algunos sectores en los que, a su criterio, exisitían oportunidades para invertir. De paso advirtió que el gobierno había intentado "destruir" el sector agrícola, y abogó por un aumento en el precio de los combustibles.

Sin embargo, O'Reilly destacó que varios sectores ofrecen oportunidades en la Argentina que podrían ser atractivas para los inversores. Aunque "hemos hecho todo lo que pudimos por destruir el sector agrícola", dijo que ve prometedores a los sectores de bienes raíces, turismo, tecnología, servicios de *call center*, y energía, una vez que los precios locales de los hidrocarburos se equilibren con los niveles globales.

Las afirmaciones de O'Reilly llamaron tanto la atención del diplomático presente que una nueva reunión fue programada entre el funcionario y el equipo económico de la embajada, dice el cable. En esa reunión, O'Reilly relató que él y Massa tenían los días contados en el gobierno.

En una reunión privada de seguimiento con los consejeros económicos (de la embajada), O'Reilly habló de la frustración del jefe de Gabinete, Massa, por no haber tenido éxito en su intento de "hacer entrar en razón a otros en el gobierno de Kirchner" sobre la necesidad de declarar y sostener una mezcla racional de políticas económicas. Admitió que tanto él como Massa no durarían mucho en el gobierno y dijo que Massa espera volver a su cargo de intendente del suburbio bonaerense de Tigre.

Al final del cable, a modo de conclusión, el autor destaca la sorpresa que le causó a la embajada escuchar a funcionarios criticar a su propio gobierno delante de extranjeros en la mismísima Casa Rosada.

En la previa a las elecciones legislativas del 28 de junio, el gobierno de Kirchner ha cerrado filas —rápidamente, y muchas veces con brusquedad— disciplinando a funcionarios del gobierno de la Argentina que se apartan de la línea oficial sobre la inflación (bajo control), pobreza (en declive), crecimiento económico (en línea con pronósticos anteriores), y la fuente de los problemas económicos (la crisis financiera global provocada por los Estados Unidos y otros países desarrollados). Hay pocos disidentes dentro del gobierno de la Argentina que resistan. O'Reilly, un magnate inmobiliario conservador que aterrizó en la Casa Rosada por su relación cercana con Massa, es la prueba número uno. Para empezar, él nunca creyó en la línea oficial y lo hemos escuchado fustigar a los Kirchner en otras ocasiones. Lo que es llamativo, sin embargo, es que se sintió cómodo condenando las políticas del gobierno de Kirchner puertas adentro de la Casa Rosada, y que invitó a la embajada a que mandara alguien a escucharlo. Es la indicación más reciente del distanciamiento de su jefe con el matrimonio presidencial y su inminente partida del gobierno.

Massa se alejaría del gobierno en julio de 2009 durante un recambio de Gabinete tras la derrota en las elecciones legislativas, que incluyó además a los ministros de Economía y de Justicia. En esa elección, Massa presentó una candidatura testimonial en la lista de diputados por la provincia de Buenos Aires pero la pobre performance de la boleta oficialista en el distrito de Tigre aumentó el recelo de la pareja presidencial y selló el destino del jefe de Gabinete.

Cuatro meses después de renunciar, Massa cenó con la embajadora Vilma Socorro Martínez en la casa de O'Reilly. Fue allí donde el intendente de Tigre descargó todo su rencor hacia la pareja presidencial.

"Massa dijo que los Kirchner no tenían probabilidades de capturar la presidencia en 2011. Cuando se le pidió que estimara las chances, Massa contestó 'cero'", arrancó el intendente.

Massa fue despiadado en sus críticas a la pareja presidencial, especialmente a Néstor. Aunque ninguneó los informes de prensa que decían que él y Kirchner se habían agarrado a las trompadas en el cuartel de campaña en la madrugada previa a la derrota en las elecciones de mitad de período, en junio pasado, llamó a Néstor "psicópata" y "cobarde", y dijo que su actitud de matón en la política esconde una profunda sensación de inseguridad e inferioridad. (La esposa de Massa se alarmó a tal punto por estos comentarios desinhibidos que él le pidió a ella que "dejara de ponerle caras".) Massa cuestionó el argumento de que Néstor merecía crédito por ser un táctico magistral, describiendo al ex presidente como un torpe tan convencido de su propia brillantez que seguramente continuaría cometiendo errores... Dijo que Néstor no se podía relacionar con otros fuera del estrecho foco de sus propias ambiciones políticas: "Kirchner no es un genio perverso", concluyó Massa. "Sólo es un perverso."

Continuó el intendente:

Massa describió sus doce meses en la jefatura de Gabinete como un parto, que pasó luchando para manejarse con un primer marido controlador y una presidenta "sumisa y distante [...] que estaría mucho mejor sin Néstor que con él".

M | Menem

Alguna vez Muammar Khadafi estuvo en problemas —no tantos como ahora, claro— y mandó a su hijo futbolista a pedirle a Carlos Menem que le diera una mano. Menem recibió a Khadafi Junior en la Quinta de Olivos en julio de 1995 y, para usar la expresión de Felipe Solá, practicó el arte de hacerse el boludo. Al final, el hijo del dictador libio se fue de la Argentina con las manos vacías. Al menos ésa es la historia que relata un cable diplomático estadounidense filtrado por Wikileaks.

El cable tiene un curioso recorrido. Fue escrito en la embajada de Buenos Aires y enviado al Departamento de Estado en Washington, con copia a varios puestos militares en distintas ciudades del mundo, además del Comando Sur del ejército estadounidense, que entonces tenía base en Quarry Heights, Panamá. El despacho, caratulado como "confidencial" con un nivel de reserva intermedio, está firmado por el entonces encargado de Negocios de la sede diplomática, Ronald Godard. Es el único escrito en 1995 entre los más de 2.000 a los que accedió este cronista. Todos los demás están fechados entre 2004 y 2010.

Cuando Godard mandó el despacho, Libia venía soportando hacía tres años sanciones durísimas impuestas por Naciones Unidas debido a que el gobierno de Khadafi se negaba a extraditar a dos ciudadanos libios acusados de derribar un vuelo de Pan Am en Lockerbie, Escocia, en diciembre de 1988, causando la muerte de 259 personas. Las sanciones se empezaron a levantar a partir de 1999, cuando Khadafi accedió a extraditar a los sospechosos, y sobre todo a partir de 2003, cuando el Estado libio admitió su responsabilidad y accedió a pagar diez millones de dólares en compensación a cada familia de las víctimas.

En 1995, cuando Al-saadi —el tercer hijo de Muammar— visitó la Argentina, Libia estaba sujeta a un embargo que incluía el tráfico aéreo, la compra de armas y de equipos petroleros, y el congelamiento de los depósitos libios en bancos extranjeros.

Menem, por su parte, buscaba recomponer su relación con los Estados árabes tras el envío de dos naves argentinas a la Guerra del Golfo, en 1990, y el desmantelamiento del proyecto del Misil Cóndor un año después. Según Mario Rotundo, recaudador de la campaña presidencial de Menem de 1988, Khadafi había aportado fondos a la campaña del riojano.

Siete años más tarde, anoticiados de la llegada del joven libio, los servicios de la embajada asumieron que había venido a tentar a Menem para que rompiera el boicot. Arranca el cable:

Al-saadi, el hijo de 25 años de Muammar Khadafi (en realidad, tenía 23), junto con una comitiva de cinco o seis funcionarios libios no identificados, llegaron a la Argentina a fines de la semana pasada y fueron recibidos por el presidente Menem en la residencia de Olivos el 24 de julio. Funcionarios del gobierno de la Argentina destacaron que la reunión fue estrictamente privada. Pese a la especulación de la prensa de un acercamiento en la relación de la Argentina con el Estado paria, el joven Khadafi dijo poco o nada importante durante los 25 minutos que compartió con el jefe de Estado argentino; la mayoría del tiempo que pasaron juntos lo dedicaron a charlar sobre el mundo del deporte.

El "Al-saadi" al que se refiere el cable no sería otro que Al-saadi Khadafi, actual coronel del ejército libio, que cinco años después de visitar la Argentina, a la edad de 27, decidió cumplir su sueño de convertirse en futbolista profesional. Debutó en el año 2000 en un club de Libia del que era presidente, mientras también dirigía la asociación de fúbol libia y contrató a Bilardo como seleccionador, a Maradona como asesor y a Ben Johnson como *personal trainer*. Jugó trece partidos con su selección, incluyendo una derrota por 3 a 1 en Trípoli contra la Argentina de Marcelo Bielsa en 2003. Ese año, Al-saadi vio cumplido su sueño de pasar al *calcio* italiano al sumarse al Perugia pero finalmente no pudo debutar por un doping positivo de nandrolona. Al año siguiente pasó al Udinese, donde jugó un partido, y en 2007, a la Sampdoria pero no llegó a jugar con el primer equipo. Al-saadi reapareció en público horas después del bombardeo de Libia por parte de las potencias occidentales en 2011, tras el alzamiento y la represión en su país. En un reportaje con medios europeos, el coronel del ejército libio dijo que la insurrección había sido promovida por la organización terrorista Al Qaeda y que la represión no había existido, desmintiendo informes de organismos de derechos humanos que relataron cómo el gobierno libio había atacado a manifestantes pacíficos, causando cientos de muertos, antes de que estallara la guerra civil.

A juzgar por lo que Al-saadi haría con su vida deportiva, es posible que sólo haya querido reunirse con Menem para armar su futuro cuerpo técnico. Pero para el diplomático estadounidense que escribió el cable, el hecho de que en la reunión se hablara casi exclusivamente de fútbol es atribuible a la habilidad política de Menem. Continúa el despacho:

En una reunión que duró menos de media hora, el presidente Menem recibió en la residencia oficial al hijo del líder libio Muammar Khadafi, Al-saadi Muammar Khadafi, que está en una "visita privada" a la Argentina. Ostensiblemente aquí para discutir sobre el comercio bilateral, el hijo de Khadafi llegó seis meses más tarde de una fracasada misión de un enviado de Khadafi que buscaba apoyo argentino para suavizar las sanciones a Libia impuestas por las Naciones Unidas.

Pero Menem estaba más interesado en hablar de fútbol que de comercio, dice el cable.

Como informó la prensa local, la breve audiencia produjo los mismos pobres resultados de la visita de enero. El interés de Menem por el deporte y la discusión del fútbol internacional —y quizás un deseo de evitar demasiada sustancia— acapararon aparentemente la mayoría de la conversación. El vicecanciller [Fernando] Petrella y el agregado comercial libio también asistieron a la reunión.

A continuación, el cable detalla los esfuerzos de la embajada para asegurarse de que Menem y el hijo de Khadafi no habían hablado de nada importante.

El agregado político llamó a José Luis Mignini, subdirector de la Cancillería para África del Norte, para obtener un informe de la reunión y preguntar sobre la actual relación entre la Argentina y Libia. Mignini dijo que no sabía mucho de la reunión porque Petrella no había divulgado detalles pero creía que la prensa había captado la esencia del encuentro, ya que no se anticipaba ningún cambio de la posición argentina con respecto al estatus de Libia en la comunidad mundial. En otra conversación, la jefa de Gabinete de Petrella, Ana María Ramírez, confirmó que la conversación se centró en temas protocolares. Ésta es la primera visita del hijo de Khadafi a la Argentina, según Ramírez, y no trajo ningún mensaje de su gobierno. Confirmó que los deportes dominaron la conversación.

A modo de conclusión, el autor del cable destaca el alto grado de cholulismo de Menem, dando a entender que Mick Jagger y el hijo de Khadafi le producen la misma fascinación:

A pesar del ruido generado en la prensa —un diario describió la reunión como la continuación de la visita de Menem a Siria (en noviembre de 1994) para mejorar la relación con los países árabes tras la participación argentina en la Guerra del Golfo—, muy poco parece haber cambiado tras la visita de Khadafi. El compromiso argentino con las sanciones a Libia parece firme, aun cuando el presidente Menem también parece incapaz de resistir encuentros con "celebridades", desde los Rolling Stones hasta el hijo de Khadafi.

M | Minas

Aunque el sector minero no paga retenciones del 35% como algunos productos agrícolas ni del 45% como pagan las petroleras, y pese a que en los últimos años el precio internacional de los minerales trepó a picos históricos, la embajada de los Estados Unidos reaccionó ante un impuesto del 5%-10%, alertando sobre el fin de las inversiones en la Argentina.

Según un cable de octubre de 2007 filtrado por Wikileaks, la embajada sondeó a distintos empresarios mineros sobre la continuidad de sus inversiones en el país y se hizo eco de sus quejas, a pesar de que las inversiones estadounidenses en la minería argentina son escasas.

La intervención de la embajada tuvo lugar después de que "contactos del sector privado" no identificados alertaran de que el nuevo impuesto "socavaría las inversiones del sector minero y el clima de inversiones en general en la Argentina", dice el cable firmado por el entonces embajador Earl Anthony Wayne.

Sin embargo, en los sondeos de la embajada, ningún representante del sector se mostró dispuesto a retirarse del país ni a quejarse ante el gobierno por el gravamen, dando a entender que aún quedaba un amplio margen de ganancias para sus empresas.

El impuesto a las importaciones mineras que provocó la reacción de la embajada forma parte de una tendencia mundial. Según un artículo publicado por Pablo Maas en el diario *Clarín* en septiembre del año pasado, los gobiernos de Chile y Australia fueron los más recientes en sumarse al aumento de la presión tributaria a sus emprendimientos mineros:

> Alrededor del mundo está creciendo lo que los propios mineros llaman el "nacionalismo de los recursos". Se trata de gobiernos, nacionales o locales, que están buscando participar con una mayor porción de la renta minera, que se ha disparado al compás del ascenso meteórico de la cotización de metales como el oro, la plata y el cobre.

Mientras en Australia el nuevo gobierno impuso un gravamen del 30% a las "ganancias extraordinarias" de las mineras, y en Chile el presidente Piñera mandó un proyecto para aumentar las regalías a un mínimo de 5%, en la Argentina, hasta la imposición del impuesto, las mineras sólo pagaban regalías del 3% a las provincias. Más aún, la Ley Minera de 1993 les otorgó a los proyectos una deducción del 100% de los gastos de exploración e importaciones sin aranceles, entre otros incentivos, sin contar un compromiso de treinta años de estabilidad fiscal, que en la práctica duró catorce.

El cable reconoce que antes de la imposición del impuesto la situación de las mineras que operaban en la Argentina era prácticamente inmejorable.

> Contactos del sector privado e informes de los medios han sido más bien críticos con la manera en que el gobierno de la Argentina aplicó el impuesto, argumentando que efectivamente clausura una década y media de inversión minera con un régimen impositivo de primer nivel mundial.

Pero a pesar del tono alarmista del despacho diplomático, los mismos "contactos" que se quejaron ante la embajada admitieron que el alto precio de los minerales cubría sobradamente el costo del impuesto, dice el cable.

Contactos del sector minero reconocen que la presente fortaleza del precio mundial de los minerales, particularmente del oro y del cobre, es un incentivo fuerte para permanecer en la Argentina.

Para que no queden dudas, el autor del cable escribió que en los tres años previos a la aplicación del impuesto del 5%-10%, el precio de los principales minerales que exporta la Argentina había subido un 20% en el caso del oro y un 60% en el del cobre.

El texto también señala que la presión impositiva sobre la minería sigue siendo baja con respecto a otros productos primarios que exporta la Argentina.

El impuesto federal a las exportaciones mineras ha aumentado sustancialmente, de 0% a 5%-10%, pero sigue siendo significativamente más bajo que las retenciones que se aplican a sectores agrícolas (alrededor del 28% para la soja) y a los hidrocarburos (alrededor del 45% para el crudo).

Sin embargo, según la embajada, la decisión de la Argentina de aplicar el impuesto afectaría los intereses estadounidenses porque ese país les vende muchos insumos y equipamiento a las mineras.

Comparados con otras firmas mineras basadas en el exterior, los intereses mineros de los Estados Unidos son pequeños... Los Estados Unidos tienen intereses más grandes en la venta de equipos a empresas mineras operando en la Argentina, con cerca del 30% del mercado. El servicio de Comercio Exterior estadounidense estima que en 2006 las exportaciones de equipos mineros (a la Argentina) fueron de cerca de 125 millones de dólares. Estas exportaciones podrían verse afectadas si el nuevo impuesto minero resulta en menos inversiones.

Según cuenta el cable, al sentirse afectada en sus intereses, la embajada intentó contactarse con funcionarios argentinos para pedirle "explicaciones" sobre la decisión de aplicar el impuesto. Pero los diplomáticos fracasaron en el intento.

La embajada ha intentado sin éxito una entrevista con el secretario de Minería, Jorge Mayoral, con quien disfrutamos de una buena relación de trabajo, para que nos dé una explicación más completa. Otras embajadas relatan lo mismo. Llamados y pedidos de reuniones por parte de la embajada —con varios funcionarios de primer nivel del gobierno de la Argentina e incluso con gobernadores— han sido en su mayoría rechazados o no contestados.

M | Monsanto

A lo largo del gobierno de los Kirchner, importantes funcionarios y congresistas de los Estados Unidos, además de embajadores, presionaron sin demasiado éxito a la Casa Rosada para que facilitara a la empresa Monsanto el cobro de regalías por el uso de semillas transgénicas. Lo que empezó como un duro enfrentamiento, con cargamentos de harina de soja incautados en puertos europeos entre 2004 y 2005, se encaminó hacia una negociación sobre la nueva generación de semillas, dejando atrás el intento de cobro por parte de Monsanto, señala una serie de cables filtrados por Wikileaks.

A mediados de los noventa, durante la presidencia de Menem, Monsanto introdujo la semilla Roundup en la Argentina, conocida por poseer un gen resistente al pesticida glifosato. Pero la empresa no registró la patente, prefiriendo cobrar regalías por medio de licencias. Los reclamos de Monsanto no se hicieron públicos hasta las noticias de los embargos en Europa pero, según funcionarios argentinos citados en los cables, empezaron durante la presidencia de Néstor Kirchner.

Monsanto dice que el 85% de la soja que se produce en la Argentina se hace con su fórmula pero menos de un tercio paga regalías porque los demás usan semillas argentinas que vienen de esas plantas sin tributar por ello a Monsanto. Si bien el lobby oficial estadounidense a favor de Monsanto fue incensante, hasta los propios analistas de la embajada reconocieron en los cables que el reclamo era dudoso: "Los granjeros argentinos tienen derecho a replantar —no a revender— semillas generadas en una cosecha sin pagar regalías", dice un cable de marzo de 2006 firmado por el entonces embajador Lino Gutiérrez.

La empresa reclamaba un pago de quince dólares por tonelada, lo cual dejaría a muchos pequeños productores en una situación difícil. En algunos países de Europa, Monsanto había patentado su gen y le había hecho juicio a los importadores europeos con la intención de cobrarles las regalías, ya que allí tenía patentada su semilla transgénica. Pero los juicios no tenían mucho sustento legal porque las importaciones no eran de semillas. A medida que las causas judiciales en Europa se fueron cayendo, y los embargos cesaron, los reclamos estadounidenses perdieron fuerza.

Según los cables, la presión estadounidense se intensificó a partir de 2006. Un despacho del 17 de enero de ese año da cuenta de un encuentro entre el entonces embajador Lino Gutiérrez y la entonces ministra de Economía, Felisa Micheli.

El embajador mencionó el caso de la empresa de biotecnología Monsanto al final de la reunión. Explicó que Monsanto había intentado todas las medidas posibles para atender su necesidad de obtener una regalía por su semilla de soja GMO Roundup Ready. En la ausencia de una solución doméstica, está progresando con acciones legales en un número de países europeos que importaron soja argentina. Miceli contestó que había hablado con las cuatro asociaciones agrícolas más interesadas en el tema. Esas asociaciones dijeron que Monsanto tenía derecho a exigir una regalía. El problema era ponerse de acuerdo en el precio. "Creo que podemos ponernos de acuerdo", dijo ella.

Al mes siguiente llegó una delegación de congresistas estadounidenses encabezada por el poderoso presidente del comité de Finanzas, Charles Grassley, del estado cerealero de Indiana. Su reunión con funcionarios argentinos no terminó de la mejor manera porque el entonces secretario de Comercio Exterior, Alfredo Chiaradía, y el entonces secretario de Agricultura, Miguel Campos, defendieron la postura argentina de no negociar bajo presión. Dice el cable:

> La reunión terminó con una discusión sobre la disputa con Monsanto por la regalías de las semillas de soja modificadas genéticamente. [...] Chiaradía cuestionó la intención verdadera detrás de los esfuerzos de Monsanto por cobrar regalías [...] señalando que sólo se había convertido en un tema cuando expiró la patente del herbicida (glifosato) de Monsanto. Dijo que el gobierno estaba listo para negociar tanto las regalías como la segunda generación de semillas. Pero agregó que el gobierno no lo haría con una pistola apúntandole, en referencia a las acciones legales que tomó Mosanto en Europa contra los cargamentos de soja argentina.

Grassley le contestó que el tema no era sólo de patentes, o sea con una empresa, sino comercial, o sea que involucraba al gobierno de los Estados Unidos.

El senador Grassley señaló que además de ser un tema de patentes, la disputa con Monsanto era un tema comercial, porque los granjeros estadounidenses que pagan regalías están en desventaja con respecto a los cultivadores argentinos.

Campos se encargó de contestarle:

Le dijo al congresista que la Argentina y los Estados Unidos siempre habían trabajado codo a codo en los temas de biotecnología pero que la disputa con Monsanto estaba amenazando el futuro de la agricultura argentina.

En junio de 2006 fue el congresista de Virginia, Bob Goodlatte, quien presionó a favor de Monsanto en una reunión con Chiaradía, dice otro cable:

Goodlatte sacó el tema de las regalías de la soja biotecnológica de Monsanto, haciendo notar que la fuerza de la economía estadounidense estaba atada a la capacidad de innovar de empresas como Monsanto [...] Chiaradía [...] argumentó que el caso estaba basado en un malentendido sobre qué debe ser protegido mientras dijo que Monsanto debería "capturar la recompensa" por el uso de su producto; la idea se aplicaba a la semilla misma, no a los productos derivados de la soja.

En noviembre de 2006 el embajador Gutiérrez insistió sobre el tema con la ministra Miceli.

El embajador le pidió a Micheli que apoyara la última propuesta de Monsanto para resolver sus disputas con los productores argentinos [...] Miceli dijo que se había reunido con Monsanto en el pasado y, aunque el gobierno no puede aparecer como si tomara partido en lo que es esencialmente una negociación entre Monsanto y agricultures locales, apoyará una solución.

Al mes siguiente, Gutiérrez volvió a sacar el tema, esta vez delante del ministro de Planificación, Julio De Vido. La dureza de las palabras del embajador, que habla de "dos soluciones posibles", marca en punto de máxima tensión en el conflicto.

Entonces sugirió que había dos soluciones posibles. Una se basaba en la recaudación de regalías de los exportadores de granos, que sería más sencilla dado el número relativamente bajo de exportadores, y la otra basada en la colección de regalías de los productores de semillas.

De Vido le contestó que se pusiera en contacto con el entonces el secretario de Agricultura, Diógenes de Urquiza, quien a su vez dijo que el tema era muy complicado porque había varias partes involucradas. Pero el secretario agregó que estaba dispuesto a llevar adelante una discreta negociación. Dice el cable:

De Urquiza se comprometió a sentarse con los accionistas con el objetivo de reanudar las negociaciones. Enfatizó que las reuniones deben tener un perfil muy bajo si van a tener éxito.

En enero de 2007 el embajador volvió a insistir ante Miceli. Ya no hablaba de apoyar "la propuesta de Monsanto" sino una "señal informal" para facilitar una negociación.

El embajador dijo que Monsanto sentía que necesitaba por lo menos una señal informal de aceptación del gobierno de la Argentina para que los productores se sumaran. Miceli respondió que Monsanto debería llevarle una oferta preaprobada y que ella trabajaría para apoyarla.

A la semana siguiente una delegación del Departamento del Tesoro encabezada por el funcionario John Vernau actuó de portavoz del reclamo de Monsanto ante funcionarios argentinos.

En septiembre de 2008 fue el turno de un miembro del Gabinete de Barack Obama, el entonces secretario de Agricultura, Charles Conner, quien sacó el tema ante De Urquiza durante una visita a la Argentina, señala otro cable.

En abril de 2008 el embajador Earl Anthony Wayne abordó el tema en una reunión con Alberto Fernández y la presidenta Cristina Kirchner, delante del subsecretario para América Latina, Tom Shannon. "Compañías como Monsanto están muy interesadas en una nueva aproximación a su trabajo en la Argentina", dijo Wayne.

En agosto de 2008 visitó la embajada el presidente de Monsanto Argentina, Juan Ferreira, para agradecer los esfuerzos diplomáticos a favor de su empresa. Por entonces las acciones legales en Europa había perdido efectividad y habían pasado más de dos años desde el último embargo. El empresario explicó que la nueva estrategia de la empresa era negociar un arreglo con el gobierno, los gobernadores y la Mesa de Enlace.

[Ferreira] explicó que Monsanto continúa con su estrategia revisada de focalizarse en el futuro y asegurarse protección legal para sus nuevas tecnologías que introducirá en el futuro. [...] Monsanto no tuvo discusiones de alto perfil con el gobierno por las regalías durante el extendido paro agropecuario pero ha mantenido contactos con organizaciones agrarias y gobernadores provinciales para asegurarse de que los proveedores sean pagados para instruir nuevas tecnologías para mejorar la producción en la Argentina.

En diciembre de 2008 el encargado del lobby fue el representante Colin Peterson, presidente de la comisión de Agricultura de la Cámara Baja de los Estados Unidos.

El representante Peterson le preguntó al secretario Urquiza por temas de comercio, incluyendo el pago de regalías por las semillas de soja usadas con tecnología de Monsanto.

Sin embargo, el cable de agosto de ese año que el embajador le había mandado a Peterson anticipando su visita incluye una nota positiva, reflejo del cambio de tono de la empresa ante la prolongada falta de resultados judiciales en Europa.

> El aspecto positivo es que hay señales de progreso en la larga disputa entre el gobierno y Monsanto por el cobro de regalías por las variedades de semillas de Monsanto. Monsanto ahora está discutiendo con el gobierno la introducción de nuevas variedades de semillas y el pago por la tecnología, un cambio significativo con la anterior política del gobierno de negarse a negociar sobre el tema.

En marzo de 2009 el embajador Wayne volvió a insistir, esta vez ante el secretario de Agricultura, Carlos Cheppi, y la ministra de Producción, Débora Giorgi. A esa altura de la negociación estaba claro que, a pesar del intenso lobby estadounidense, Monsanto no iba a cobrar las regalías que pretendía. La negociación se había encaminado hacia los llamados "productos de segunda generación" que la empresa pretendía introducir en el país, prometiendo aumento en los rendimientos de un 10% al 15%. En febrero del año pasado Monsanto retiró una querella en Europa contra importadores de harina de soja transgénica producida en la Argentina. Dice el cable de 2009, el último de la serie:

> El embajador señaló la importancia de solucionar la prolongada disputa entre el gobierno y Monsanto por

el pago de regalías [...] Cheppi explicó que el gobierno estaba trabajando en una nueva ley de semillas con aportes de todas las partes involucradas para resolver el problema pero que la disputa con el campo frenó el movimiento. Dijo que ya hay un acuerdo general sobre lo que se necesita hacer.

M | Montoto

El empresario Mario Montoto asesora al gobierno de la provincia de Buenos Aires en cuestiones de seguridad. Dicho asesoramiento incluye el trabajo a favor de un convenio con la policía de Río de Janeiro, donde la lucha contra el narcotráfico ha sido militarizada, para intercambiar experiencias. También incluiría el vínculo con la embajada estadounidense, fortalecido tras una cena íntima en la casa del empresario a la que asistieron el gobernador Daniel Scioli y el entonces embajador de los Estados Unidos, Earl Anthony Wayne.

La información surge de dos cables diplomáticos filtrados por Wikileaks. La cercanía de Montoto con la embajada también quedó demostrada en otro despacho que revela cómo el empresario sirvió de nexo entre la sede diplomática y el grupo Yabrán durante el incidente por la valija de Antonini Wilson (véase "Yabrán").

Es curioso cómo actúa el subconsciente, sobre todo cuando aflora en un tema sensible como puede ser la política de seguridad en la provincia de Buenos Aires. El 23 de febrero de 2011, el Centro de Estudios Legales y Sociales (CELS) ofreció una conferencia de prensa para solicitar medidas urgentes del gobierno provincial destinadas a garantizar que no se repitan casos de violencia policial como los de José León Suárez, donde la policía ejecutó a dos chicos, y Baradero, donde se fusiló a un adolescente. Durante el acto, el presidente del CELS, Horacio Verbitsky, criticó las políticas del Ministerio de Justicia y Seguridad a cargo de Ricardo Casal. Dice un comunicado del CELS:

> Horacio Verbitsky remarcó que la actual conducción del Ministerio de Justicia de la provincia "se subordina a lo que la policía le marca" y consideró que, en lugar de avanzar en reformas estructurales para proteger al conjunto de la sociedad, el gobierno provincial sólo brinda "discursos huecos y amenazadores".

Entre las airadas respuestas del oficialismo bonaerense, el jefe de Gabinete de la provincia, Alberto Pérez, desmintió en declaraciones a varios medios que su gobierno haga negocios relacionados con la seguridad con los empresarios Daniel Hadad y Mario Montoto, como aseguró que había dicho el CELS.

Al día siguiente, *Página/12* publicó la siguiente contradesmentida:

> El Centro de Estudios Legales y Sociales respondió al jefe de Gabinete de Daniel Scioli, Alberto Pérez, quien había descalificado las afirmaciones de Horacio Verbitsky realizadas durante la presentación de un documento del Acuerdo para una Seguridad Democrática. Según Pérez, Verbitsky endilgó al gobierno bonaerense una relación con el empresario Mario Montoto. La grabación completa de la conferencia demuestra que Verbitsky nunca dijo tal cosa. Sólo se refirió a la consultora de Alejandra Rafuls, contratada a sugerencia del empresario Daniel Hadad, que supervisa cada palabra del gobierno bonaerense, como esta declaración de Alberto Pérez.

Los cables filtrados por Wikileaks explican la confusión de Pérez: el CELS no había dicho nada pero la relación exisitía. Lo presenta un cable de abril de 2008:

> Mario Montoto está involucrado en las industrias de defensa y seguridad. Publica una revista mensual sobre defensa y relaciones internacionales llamada *DEF* y es un ex asesor del jefe de la guerrilla Montoneros. Ahora es muy pro estadounidense y hace negocios con Israel.

A continuación, el texto explicita la naturaleza de la relación entre el empresario y el gobernador bonaerense.

> En materia de seguridad pública, Montoto dijo que cree que en el Gran Buenos Aires juzgarán al gobierno por lo bien que controla el crimen y le devuelve la paz a los vecindarios. Ésta es la razón por la que el gobernador de la provincia, Daniel Scioli, a quien Montoto asesora, ha emprendido un gran esfuerzo para sacar más policías a la calle: quiere mostrarles a los votantes que está actuando con coraje en este serio problema.

El cable describe más adelante el convenio que buscaba forjar Montoto con la policía carioca. Dicho acuerdo había sido anunciado el mes anterior por el entonces ministro de seguridad bonaerense, Carlos Stornelli, durante la visita del ministro de Seguridad de Río, José Mariano Benincá Beltrame. Pero la fecha de la firma —si es que se firmó— y su contenido no fueron dados a conocer. Si existe, nunca fue anunciado.

> Montoto dijo que acaba de terminar un borrador para un acuerdo entre el Estado de Río de Janeiro y la provincia de Buenos Aires para compartir experiencias y conocimientos de seguridad pública.

Tomando a Río como ejemplo a evitar, el cable dice que el empresario le reclamó al gobernador mayor "firmeza", o sea, mano dura.

Montoto dijo que le ha dicho a Scioli que cree que si no se actúa con firmeza ahora, en un par de años Buenos Aires podría enfrentar los mismos problemas serios que enfrenta Río.

Eso sí, Montoto también dijo que hacen falta más puestos de trabajo y le recomendó al gobernador impulsar un programa de ayuda a las pymes, señala el despacho firmado por Wayne. El cable también consigna que Montoto criticó la supuesta cercanía del gobierno argentino con el presidente venezolano Hugo Chávez, a quien acusó de desatar una carrera armamentista en la región pese a que el gasto militar de la vecina Colombia es muy superior. El empresario abogó por una relación de mayor cercanía con los Estados Unidos en el área de su especialidad.

Los militares argentinos tienen limitaciones presupuestarias. Esto significa que, estratégicamente, los Estados Unidos son más importantes que nunca para la Argentina (por la carrera armamentista en la región) y que el gobierno argentino debería reforzar su diálogo y colaboración con los Estados Unidos en materia de defensa, no limitarlo.

Para entonces, Montoto ya era un viejo conocido de la embajada. El empresario había servido de anfitrión de una cena de tres horas entre el embajador estadounidense, su agregado militar, Scioli y un reducido grupo de asesores, dice un cable de mayo de 2007. En ese momento, Scioli, todavía vicepresidente, preparaba su candidatura a la gobernación. Dice el despacho:

En la noche del 14 de mayo, el embajador y el agregado militar participaron de una pequeña cena con el vicepresidente Daniel Scioli organizada por el editor y empresario Mario Montoto. El empresario hermano de Scioli, José (Pepe) Scioli, la senadora nacional María Laura Leguizamón (representa a la Ciudad de Buenos Aires) y el ex embajador de los Estados Unidos en Chile, Gabriel Guerra Mondragón, también participaron. Scioli le dedicó tres horas a la amplia discusión a pesar de que tenía un evento planeado para las siete de la mañana del día siguiente.

Durante el encuentro, el embajador y el agregado militar le pidieron a Scioli, entonces presidente del Senado en su calidad de vicepresidente de la Nación, que apoyara dos proyectos de ley que se debatían en el Congreso: contra el Financiamiento del Terrorismo y sobre Trata de Personas. El primero se convirtió en ley en junio de 2007 y el segundo en mayo de 2008. Anticipando el futuro, el cable afirma que la cena había sido "muy productiva".

M | Moreno

A poco de estallar la crisis financiera internacional en 2008, el secretario de Comercio, Guillermo Moreno, hizo una encendida defensa del modelo económico argentino ante un diplomático estadounidense convencido de que era necesario volver a las políticas de ajuste de los años noventa.

Según un cable de septiembre de 2006 filtrado por Wikileaks, el diplomático y sus "analistas de mercado" de la city porteña estaban convencidos de que la crisis global y la creciente inflación en la economía doméstica forzarían al gobierno a hacer un ajuste fiscal a más tardar en 2007. El pronóstico demostró ser erróneo ya que el gobierno siguió apostando al crecimiento acelerado y a una estrategia de combate a la inflación que fuese más allá de las cuestiones monetarias, poniendo el eje en el monitoreo y la eventual intervención en la cadena de precios.

El despacho incluye además algunas quejas de tres empresas por los modales y los métodos del funcionario argentino pero da a entender que no fueron mencionadas en la reunión con Moreno. Arranca el cable:

En una amplia defensa del régimen de control de precios del gobierno argentino, Moreno enfatizó que sus pensamientos reflejan directamente las instrucciones del ministro De Vido y sigue el lineamiento de las políticas orientadas por el presidente Kirchner". [...] A continuación, Moreno marca algunas diferencias entre las economías de la Argentina y los Estados Unidos que explican por qué el mercado local necesita un nivel mayor de intervención estatal.

[...]

En los mercados ultracompetitivos por la "ley de la selva" de los Estados Unidos, nuestro régimen comercial "relativamente abierto", nuestra aplicación pareja de la ley y nuestras regulaciones antimonopólicas aseguran que los clientes estadounidenses reciban un trato justo, argumentó Moreno. Sin embargo, el gobierno argentino debe luchar contra una dinámica de mercado totalmente distinta, en la que el limitado tamaño del mercado promueve el desarrollo de comportamientos monopólicos para maximizar ganancias. En consecuencia, el gobierno de la Argentina trabaja para superar esas distorsiones de mercados, no a través de controles de precios ("¡No hay controles de precios en la Argentina y quienes dicen que sí hay están cuestionando la credibilidad del Estado!") sino a través de "monitoreo activo" de la estructura de costos por sector y empresa para asegurarse de que las compañías permanezcan "apropiadamente y razonablemente" superavitarias.

Esas empresas que ganan plata, señala Moreno a continuación, tienen la "obligación" de invertir, acceder a economías de escala y cuando el precio por unidad baje, transferir ese ahorro a los consumidores. Explicó el funcionario argentino:

Las empresas que practican análisis "desalmados" de la elasticidad de demanda del precio al consumidor y reducen su producción para maximizar sus ganancias no están cumpliendo con su mandato social y eso no será tolerado.

Luego, Moreno dijo que el extraordinario crecimiento argentino desde 2001 hablaba por sí mismo y que el presidente Kirchner quería mantener ese nivel de crecimiento pero con inflación de un solo dígito. En 2006 la inflación cerró en 9,9%. Al año siguiente, tras la intervención de Moreno en el Indec, la inflación oficial bajó a 8,5%. Desde ese momento, distintos gremios y consultoras calculan la inflación real entre el doble y el triple de la oficial. En 2008 la inflación oficial fue del 7,2%, en 2009 alcanzó el 7,7% y en 2010 trepó al 10,2%. Explicó el secretario de Comercio, según el cable:

El objetivo del presidente Kirchner es mantener el crecimiento, subrayó Moreno, mientras se reduce y se contiene la inflación interna en un solo dígito. "Mi mandato es alcanzar este objetivo y voy a usar todos los medios a mi disposición para asegurarme de que los pobres de la Argentina —casi un tercio de la población vive debajo de la línea de pobreza— sigan viendo cómo mejora su poder de compra."

Dice el cable que Moreno exclamó:

El secreto para la armonía política en la Argentina, concluyó Moreno, es sencillo: la familia argentina promedio va a apoyar a un gobierno que le provea lo necesario para tener una "parrillada" (asado tradicional argentino) una vez por semana, comprar ropa dos veces por año y salir de vacaciones a la playa una vez por año. "¡Es así de simple y nosotros lo estamos logrando!"

La conversación con el diplomático viró hacia el comercio exterior y Moreno pasó a la ofensiva, señalando que los subsidios agrícolas distorsionan el mercado estadounidense mucho más que lo que cualquier medida adoptada por el gobierno argentino distorsiona el mercado de este país.

"No estamos pidiendo acceso preferencial a sus mercados", dijo, "pero más bien buscamos una señal de que van a abrir sus mercados a nuestras fortalezas económicas, aceptando que sus subsidios agrícolas son proteccionistas. ¡Tanta ineficiencia masiva en el sector agrícola de los Estados Unidos a tan alto costo para sus contribuyentes... y ustedes llaman a la heterodoxia argentina distorsiva!"

En el largo comentario final del cable firmado por Mike Matera, el autor enumera una lista de quejas empresariales por las acciones de Moreno, incluyendo la ya por entonces famosa leyenda del revólver sobre la mesa, que el diplomático da por cierta y atribuye a empresarios anónimos de firmas que no identifica. Dice el tramo inicial:

La reputación de Moreno entre las multinacionales estadounidenses es pobre. Merck nos dice que amenazó con mandar piqueteros (manifestantes callejeros) a perturbar su operación si no anulaba un aumento en el precio de sus drogas. Esso dice que Moreno amenazó con mandar un equipo de inspectores a revisar los libros de la compañía si no bajaba el precio final y después hacía comentarios en la prensa oficialista apoyando la política de control de precios del gobierno. Energía CMS recuerda que Moreno revisó la oferta de venta para vender el interés de CMS en una importante empresa de transporte de gas e insistió en que CMS redujera su oferta en un 75% para empezar a negociar. Otros ejecutivos relatan reuniones con Moreno para alcanzar acuerdos de precios por sector en las que Moreno abría la reunión poniendo un revólver sobre la mesa.

Después de hablar de Moreno, el comentario se refiere al diagnóstico del gobierno argentino sobre las causas reales de la inflación y su estrategia para combatirla.

El gobierno de la Argentina cree que su política de control de precios es la respuesta apropiada para una macroeconomía argentina en la que la inflación está dirigida por un ajuste de precio relativo de bienes no canjeables, resultante de la masiva devaluación de 2002. Según su punto de vista, esta compensación va a generar presión inflacionaria sólo hasta que la economía complete su transición hacia una estabilidad poscrisis, y los controles de precios del gobierno de la Argentina previenen que esas presiones temporarias se inserten en las expectativas y la puja salarial.

El diplomático estadounidense no compró el pronóstico ni la receta del gobierno argentino y concluyó, en acuerdo con los "analistas" a los que consultó, que un ajuste sería inevitable, tal como señala el tramo final de su comentario.

Sin embargo, muchos analistas aquí opinan que la dinámica inflacionaria en la Argentina no es tan transitoria como cree el gobierno de la Argentina. Ellos ven que la inflación está siendo alimentada por el rápido crecimiento de la demanda doméstica, estimulada por la política macroeconómica. Analistas señalan que los datos del Indec (la oficina estatal de estadísticas) muestran que el aumento de precios ha sido generalizado, que la ocupación de la capacidad productiva es alta y que el desempleo, aunque estructuralmente es alto, actualmente es el más bajo desde principios de la década del noventa. Si la inflación argentina está siendo generada por estos factores más permanentes —y este enviado cree que es así—, entonces las demoras del gobierno de la Argentina en atacar las raíces profundas del problema aumentan el riesgo, tanto de volatilidad macroeconómica como de pagar un costo eventual para reducir la inflación. Tarde o temprano, el gobierno de la Argentina tendrá que atender las presiones inflacionarias a través de políticas monetarias y fiscales menos expansivas.

Matera finaliza su análisis poniéndole fecha al ajuste. Dijo que a más tardar se haría después de las elecciones de 2007. Concluye el cable:

[La estrategia] podrá servirle a la administración Kirchner para llegar bien a las elecciones de 2007 pero eventualmente el costo que tendrá que pagar la Argentina... será alto. Fin del comentario.

Cuatro años más tarde, mientras los Estados Unidos alcanzaban déficits récord con carísimos planes de recuperación económica, la Argentina mantenía su política expansiva pero fiscalmente responsable, aprovechando el buen momento de los precios internacionales de sus *commodities*, evitando así el ajuste pronosticado por el representante de Washington sobre la base del consejo de sus "analistas de mercado", los ubicuos economistas neoliberales que pululan alrededor de la embajada.

N | Néstor

Néstor Kirchner era pragmático, irritable y estaba obsesionado con el corto plazo. Era de tomar decisiones rápidas y le gustaba doblar cualquier apuesta. Simpatizaba con la izquierda pero subordinaba esa simpatía a su objetivo central, la acumulación de poder.

La descripción corresponde a un perfil político-psicológico del ex presidente fallecido en 2010 elaborado por la embajada estadounidense en Buenos Aires en junio de 2006, que aparece en un cable filtrado por Wikileaks. Aunque algunas de sus conclusiones parecen sensatas, el cable describe chismes y críticas con un lenguaje pseudocientífico que parece impostado para disimular la ligereza de ciertas observaciones. El cable no explica las razones de la enorme popularidad que se había ganado el entonces presidente tras sus victorias electorales y ni por asomo anticipa el cariño de la gente en el funeral masivo que tendría cinco años después.

Por el contrario, el despacho dice que la impronta política y cultural de Néstor Kirchner, su forma de ser, lo que el cable llama el "estilo K", era como una especie de plaga que se había propagado por todo el gobierno argentino, cargando sus políticas de crispación, improvisación y arbitrariedad.

El perfil se apoya en tres fuentes principales muy diferentes: Carlos Zannini, miembro del círculo íntimo del ex presidente; Sergio Acevedo, un ex asesor cercano devenido en opositor, y el manual de la American Medical Association, la principal agrupación de médicos y estudiantes de medicina de los Estados Unidos.

El sistema político argentino coloca gran parte de la autoridad en manos del presidente. Y el presidente Kirchner es un presidente fuerte aun en este contexto. Como resultado, el "estilo K" define el proceso de establecimiento de políticas del gobierno de la Argentina.
El estilo operativo y de toma de decisiones personalista, muchas veces errático, del presidente Néstor Kirchner define las políticas actuales de la Argentina y se caracteriza por un foco excesivo en el corto plazo y en el pragmatismo político para acumular y mantener el poder político nacional. El estilo político doméstico de Kirchner no deja lugar para el disenso y usa tácticas de dividir-para-reinar a fin de debilitar a la oposición política. Mientras de a ratos usa una retórica izquierdista y populista, en la práctica Kirchner ha demostrado que sus inclinaciones ideológicas siempre son menos importantes que las practicidades de la política doméstica.

Para ilustrar la importancia que Kirchner le asignaría al corto plazo, el cable recoge una anécdota de Zannini y una opinión de Acevedo.

Como le dijo al encargado de Negocios, el secretario Legal y Técnico, Carlos Zannini, un asesor cercano: "El Presidente y yo nos levantamos cada mañana, miramos los diarios, y tratamos de ver cómo sobrevivimos el día". Otro viejo conocido de Kirchner, el ex gobernador de Santa Cruz, Sergio Acevedo, nos dijo que Kirchner se enfoca mucho en los temas del día pero siempre con el objetivo estratégico de largo plazo de retener el poder político.

Nestor-- 29 de junio del 2006

C O N F I D E N T I A L SECTION 01 OF 05 BUENOS AIRES 001462

SIPDIS

SIPDIS

STATE FOR WHA TOM SHANNON, JOHN MAISTO, AND CHARLES SHAPIRO
NSC FOR DAN FISK
TREASURY FOR DAS NANCY LEE
USCINCSO FOR POLAD

E.O. 12958: DECL: 06/28/2016
TAGS: PGOV, PHUM, PREL, AR
SUBJECT: ARGENTINA: THE K-STYLE OF POLITICS

REF: A. BUENOS AIRES 01090
     B. BUENOS AIRES 01403
     C. BUENOS AIRES 02974
     D. 05 BUENOS AIRES 00141
     E. 05 BUENOS AIRES 02835
     F. 05 BUENOS AIRES 00115

Classified By: Ambassador Lino Gutierrez for Reasons 1.4
(B) and (D).

SUMMARY AND INTRODUCTION
----

1. (C) This cable is designed to examine President
Nestor
Kirchner's unique operating and decision-making style
that
has become known as the "K-Style." Given Kirchner's
control
over all aspects of GOA policymaking, knowledge of
Kirchner's
motivations and methods in arriving at decisions is
essential
to understanding GOA actions.

2. (C) President Nestor Kirchner's personalistic, often
erratic operating and decision-making style defines
current
Argentine policymaking and is characterized by an
overarching
focus on the short-term and politically expedient
accumulation and maintenance of domestic political power.
Kirchner's domestic political style leaves no room for

247

Para ejemplificar el pragmatismo de Kirchner, el cable relata que Acevedo describió la política de derechos humanos del gobierno como oportunista. El autor del cable hace suyas las palabras del ex gobernador:

Como Acevedo nos dijo recientemente, Kirchner no tiene una ideología verdadera. Por ejemplo, el tema de los derechos humanos y sus afiliaciones políticas en los setenta no fueron temas durante los veinte años de vida política de Kirchner como intendente de Río Gallegos y gobernador de Santa Cruz. Acevedo dijo que el reciente apoyo de Kirchner a las Madres de Plaza de Mayo y su renovado interés en los derechos humanos fueron impulsados por su necesidad de desarrolar una base de apoyo en el ala izquierda del movimiento peronista.

Más adelante, el cable se interna en la psiquis del ex presidente, citando "estudios recientes" que no identifica.

De acuerdo con estudios recientes, el perfil psicológico de Kirchner incluye la necesidad de siempre tener el control, tomar decisiones rápidas y contundentes, y mantener una lucha constante contra enemigos percibidos. Kirchner no delega el poder de decisión y toma él mismo todas las decisiones importantes. Kirchner sólo consulta a un estrecho grupo de asesores de larga data, que son parte de su círculo íntimo sobre todo por su lealtad y no por su habilidad técnica. Muchas veces ni siquiera consulta ni avisa a los funcionarios del gobierno de la Argentina antes de realizar pronunciamientos políticos importantes en sus respectivas áreas de incumbencia.

El cable dice que Kirchner suele tomar decisiones sin pensarlas mucho.

Dentro de la Casa Rosada describen a Kirchner como inclinado a tomar decisiones rápidas, hasta antojadizas. Por ejemplo, Kirchner habría decidido de un momento a otro instaurar una veda de seis meses a las exportaciones de carne después de enterarse, el día anterior, que el precio de la carne había aumentado significativamente un día antes en el Mercado Central.

El despacho continúa con una afirmación difícil de rebatir: Kirchner tiene muchos enemigos. Pero para el autor del cable, Kichner tenía enemigos no por darles batalla a poderosas corporaciones en defensa del interés popular, como sostienen sus seguidores, sino porque elegía adversarios desacreditados para aumentar su popularidad. La enumeración de enemigos de Kirchner que hace el cable permite al lector sacar sus propias conclusiones.

Kirchner se ha descargado con sus presuntos enemigos, tanto nacionales como extranjeros, a través de su presidencia. Los blancos de Kirchner han incluido al FMI, los Estados Unidos, los medios, la Iglesia Católica, la comunidad de empresarios locales y extranjeros, supermercados, estaciones de servicio extranjeras, cualquier cosa que haya pasado en los noventa, los ex presidentes Carlos Menem, Fernando de la Rúa y Eduardo Duhalde. Muchas veces, Kirchner le apunta a grupos o personas impopulares como un medio para aumentar su propio índice de aprobación.

Cuando Kirchner enfrentaba un problema, en vez de negociar se enojaba y lo mandaba a Moreno, prosigue el cable.

Ante un problema, el primer instinto de Kirchner es pasar a la ofensiva en vez de negociar, subiendo la apuesta después de que sus esfuerzos iniciales fracasaran en obtener el resultado deseado. Cuando enfrentó la resistencia del sector empresarial y agrícola en sus esfuerzos por controlar la inflación a principios de año, Kirchner impuso una veda a las exportaciones de carne y nombró al heterodoxo economista peronista Guillermo Moreno para manejar los esfuerzos antiinflacionarios del gobierno de la Argentina a través del patoterismo y las amenazas a productores individuales para que bajen sus precios.

Con respecto a la política exterior de Kirchner, el cable dice que siempre se subordina a la situación doméstica. O sea, Kirchner usaba la escena internacional para ganarse el aplauso de la tribuna local. Cita como ejemplo el conflicto con las pasteras uruguayas y las críticas a Bush en la cumbre del Mar del Plata de 2005. El cable agrega que Kirchner recibía un pobre asesoramiento en relaciones internacionales porque no permitía que ningún funcionario de la Cancillería ingresara en su círculo íntimo.

Kirchner depende de un grupo decreciente de asesores de larga data para tomar decisiones clave, muchos de ellos sin conocimientos de economía, negocios o relaciones internacionales. Nadie del Ministerio de Relaciones Exteriores es parte de su círculo íntimo de asesores y muy pocos de los asesores cercanos a Kirchner tenían experiencia en el exterior antes de que Kirchner asumiera como presidente. Como resultado, Kirchner muchas veces recibe un asesoramiento pobre en temas internacionales.

Después de analizar el estilo político de Kirchner por medio de la psicología, el cable apela a conceptos de la medicina para respaldar sus observaciones.

La salud de Kirchner exacerba, y quizá define sus emociones y su psicología. Kichner padecería el síndrome de colon irritado desde hace años. Según la American Medical Association, el efecto psicológico de aquellos que lo sufren son "generalmente personas rígidas, metódicas, sensibles, con tendencias obsesivo-compulsivas". Kirchner trabajaría hasta el agotamiento y necesita vacaciones frecuentes para recuperarse. La AMA agrega que "el estrés físico y social muchas veces está presente en pacientes con síndrome de colon irritado, y puede estar relacionado con una tendencia temporaria a la exacerbación de los síntomas".

Así como el "estilo K" define las políticas del gobierno, las obsevaciones sobre el comportamiento ceremonial de Kirchner definen el tono del cable. El despacho enumera una serie de furcios protocolares que Kirchner había cometido durante sus primeros años en la presidencia, incluyendo plantones a la reina de Holanda, al premier vietnamita y al presidente ruso. Según el cable, el vientre de Kirchner sería el causante de algunos de esos deslices.

[El síndrome de colon irritado] puede explicar la falta de atención que Kirchner le pone al protocolo que involucra largas ceremonias u horarios ajustados, donde Kirchner no tendría un acceso rápido a un baño.

Un mes después del envío del cable, otro despacho corrigió la impresión negativa de Kirchner que había dejado el anterior. A diferencia del ambicioso enfoque multidisciplinario e intimista del anterior, el cable de julio de 2006 apela exclusivamente al análisis político de información pública.

Llegado al poder después de una de las peores crisis económicas, políticas y sociales en la historia de la Argentina, el presidente Néstor Kirchner ha tenido tres años exitosos en la presidencia. Cuando Kirchner asumió en mayo de 2003, muchos analistas dudaban de que pudiera terminar su mandato. Desde ese momento, Kirchner ha ganado el control absoluto sobre los militares, ha cooptado a gran parte del movimiento piquetero que había amenazado la estabilidad de gobiernos anteriores, ganó el control del Congreso en las elecciones de octubre de 2005 y mantuvo altos índices de aprobación pública. No sólo ya no se duda de la supervivencia de Kirchner sino que las encuestas muestran que fácilmente ganaría la reelección si las elecciones se celebraran hoy. Kirchner controla el sistema político y enfrenta una oposición débil y dividida. Kirchner también se ha probado apto en el tradicional arte peronista de cooptar elementos clave de la oposición, incluyendo a la mayoría de los gobernadores opositores.

[...]

Es visto como un líder fuerte y decidido y le reconocen haber restaurado la gobernabilidad en el Poder Ejecutivo y haber promovido la notable recuperación económica de la Argentina. Las encuestas muestran que el público argentino ve a Kirchner como un líder decidido que ha podido hacerse cargo y dar vuelta el país durante un tiempo difícil de la historia argentina. La ola de protestas que surgió de la crisis económica de 2001-2002 y llevó a la autoridad presidencial a uno de sus puntos más bajos se ha calmado y Kirchner ha manejado con eficiencia las relaciones con los líderes de la protesta.

[...]

En el frente económico, la Argentina ha tenido un fuerte rebote desde la crisis, con tasas de crecimiento del PBI del 9% en los últimos tres años. A través de la negociación de la deuda del sector privado y el pago que hizo el gobierno de la Argentina de la deuda con el FMI, la deuda externa de la Argentina se ha reducido a un nivel manejable por primera vez en más de una década. Bajo la mirada de Kirchner, la Argentina ha amasado superávits récord. El sistema de recaudación impositiva, un problema perenne en la Argentina, ha mejorado significativamente, aunque ayudado por el uso de impuestos distorsivos como el IVA y las retenciones. El paso de la Argentina hacia un régimen de tasa de cambio flotante en 2002 ha gatillado un boom de exportaciones durante la presidencia de Kirchner que ha sido la fuerza impulsora de un crecimiento robusto, acompañado por un declive significativo en los niveles de desempleo y pobreza.

[...]

Kirchner tiene altos niveles de aprobación y ha restaurado el optimismo en la Argentina. El nivel de aprobación de Kirchner alcanza el 69-75% —según la encuesta y cómo se formule la pregunta—, un pico histórico para un presidente en su tercer año de mandato. Sondeos de los principales encuestadores de la Argentina muestran que Kirchner recibe puntajes altos por su manejo de la economía y por promover la estabilidad política. Los argentinos también han desarrollado un renovado sentido del optimismo bajo su mandato.

O | O'Donnell

En los últimos años, siempre en calidad de periodista, asistí a varios cócteles en la residencia del embajador estadounidense y cubrí tres o cuatro videoconferencias en la embajada. También almorcé un par de veces, junto con otros periodistas, con distintas jefas de prensa de la sede diplomática. Una vez me invitaron a la embajada junto con un grupo de alrededor de una docena de periodistas para opinar sobre las elecciones que acababa de ganar Obama. Me acuerdo que estaban Alfredo Leuco y Mónica Gutiérrez porque eran los más famosos.

Nada de eso, por supuesto, aparece en los cables filtrados por Wikileaks. En cambio, aparezco mencionado en veintiuno de ellos como el autor de diversas columnas de opinión escritas en *Página/12*, que los cables citan.

Son unos 18.000 caracteres, divididos en diecinueve citas (dos cables repiten lo mismo) de mis columnas. La extensión de las citas varía entre un párrafo y una página. La mayoría es de la segunda mitad de 2006 y principios de 2007, cuando recién empezaba mi columna.

La primera vez que me levantaron un texto, en julio de 2006, el cable me describió como el autor de "un artículo de opinión". A la semana siguiente me subieron a "columnista", después a "columnista internacional" y "columnista político", hasta llegar a mi mejor momento. Entonces fui promovido a la categoría de "analista internacional". Fui "analista internacional" tres veces, después me bajaron y volví a ser "columnista internacional".

Salvo un par de excepciones, para los cables siempre escribí en "el diario inclinado-hacia-la izquierda *Página/12*", mientras otros colegas lo hacían en el "diario líder *Clarín*" o el "diario de centro *Perfil*" o el "diario 'de registro' (por confiable) *La Nación*".

En agosto de 2006 fui a una videoconferencia en la embajada con el subsecretario Tom Shannon. A propósito de sus comentarios críticos sobre Cuba, escribí: "No es fácil promover una guerra contra el terror y la democracia multipartidaria, todo al mismo tiempo", y mencioné algunas contradicciones que veía entre el discurso y las acciones del gobierno de Bush. Esa vez, *Página/12* se inclinó del todo y pasó a ser "el diario izquierdista *Página/12*".

Mi primer artículo que levantaron en los cables se refería a la situación en Cachemira. Nunca me imaginé que a la embajada podrían interesarle mis lejanas observaciones al respecto. Después me tradujeron distintas opiniones, especialmente sobre Irán pero también sobre las guerras en Irak y Afganistán, la política interna en los Estados Unidos, Chávez, Brasil, la pena de muerte, las relaciones bilaterales y la política exterior K.

A partir de 2008 decae el interés en mis columnas y la embajada empieza a citarme sólo un par de veces al año. La última columna mía que citan es de febrero de 2010. Parece que mucho no gustó porque en el cabe yo pierdo todos mis títulos y *Página/12* pierde su identidad ideológica:

Santiago O'Donnell también escribió un artículo de opinión en *Página/12* (1/31) criticando las políticas del presidente Obama durante el último año, que han sido entre "malas y desastrosas".

Pero para no quedarme con el amargo recuerdo de la despedida, rescato la única vez que me publicaron una columna entera. Fue el 7 de septiembre de 2006. Ese día había ido a la embajada a cubrir otra videoconferencia. Después fui a la redacción de *Página/12*, leí los despachos de las agencias de noticias y escribí una columna cortita que titulé "Cara a cara":

Por la mañana participo de una videoconferencia con el embajador de los Estados Unidos ante la Agencia Internacional de Energía Atómica (AIEA), Gregory L. Schulte. Por la tarde leo declaraciones del presidente Mahmoud Ahmadinejad. Los dos, el [norte]americano y el iraní, hablaron de lo mismo. Es una pena que sus países no mantengan relaciones y que ellos dos, el [norte]americano y el iraní, no conversen cara a cara. Apelando a citas textuales de lo que dijeron, imaginé el siguiente diálogo:

Embajador Schulte: —El informe que la AIEA le presentó al Consejo de Seguridad de la ONU el 31 de agosto hace eje en dos aspectos: la cooperación, o mejor dicho la ausencia de cooperación con los inspectores de la AIEA, y la suspensión, o mejor dicho la negativa a suspender el programa nuclear, tal como se lo ha ordenado Naciones Unidas. En poco más de cinco páginas menciona no menos de quince instancias en las que Irán se negó a permitir acceso a lugares o individuos que podrían aportar información sobre las actividades bajo sospecha.

Presidente Ahmadinejad: —Mi visita a la sede de las Naciones Unidas en Nueva York el próximo día 12 es una buena ocasión para organizar un debate público. Todo el mundo, en particular los estadounidenses, podrá verlo sin censura. Espero que no se escabullan, pues un debate así sería lo mejor para lograr la paz mundial.

EMBAJADOR SCHULTE: —No existe una "pistola humeante" pero hay indicios suficientes para que los Estados Unidos y la comunidad internacional estén convencidos de que Irán busca desarrollar una bomba atómica. Por ejemplo, un documento de la red A.Q. Kahn en la que el gobierno iraní le requiere asistencia para adquirir tecnología de armamento nuclear.

PRESIDENTE AHMADINEJAD: —Nosotros queremos presentar propuestas para dirigir mejor el mundo y para instaurar justicia, calma, bienestar, paz, amistad y amabilidad. Queremos destruir el clima violento, las amenazas y el mal humor.

EMBAJADOR SCHULTE: —Irán dice que quiere hacer un desarrollo nuclear con fines pacíficos pero no tiene centrales eléctricas de energía nuclear. Para la que está construyendo, ya tiene comprometido material nuclear ruso... Durante años, la central nuclear de Natanz fue disimulada como un centro de investigación agrícola.

PRESIDENTE AHMADINEJAD: —No estoy de acuerdo con los métodos de las grandes potencias, en particular los Estados Unidos y Gran Bretaña, para gestionar el mundo. Señor Bush: si usted cree que puede gobernar el mundo desde su palacio de cristal, se equivoca.

EMBAJADOR SCHULTE: —Irán puede elegir entre dos caminos: o sigue el camino que está siguiendo hasta ahora y se aísla del mundo, o cambia y aprovecha el generoso paquete de incentivos que le ofrece la comunidad internacional.

PRESIDENTE AHMADINEJAD: —La humanidad podrá elegir. El marxismo es historia, mientras que la incapacidad del liberalismo para dirigir el mundo se manifiesta. Todas las comodidades, la cultura, la tecnología y la economía existen gracias a la existencia del Imán del Tiempo.

EMBAJADOR SCHULTE: —Nuestro objetivo no es castigar al pueblo iraní. Las sanciones estarían focalizadas en los programas de armamentos y aquellos que los apoyan. Serían sanciones graduales con el objetivo de hacer que Irán revea su política.

PRESIDENTE AHMADINEJAD: —Reitero mi invitación al señor Bush para debatir los problemas del mundo y resolverlos.

EMBAJADOR SCHULTE: —Irán es el Estado más activo en la promoción del terrorismo. Los Estados Unidos y la Argentina lo han sufrido en carne propia. Irán es el único país que está en contra del proceso de paz en Oriente Medio, que no acepta la idea de coexistencia pacífica entre dos Estados y hasta se pronunció por la desaparición física de uno de ellos. Imaginen la influencia que semejante país podría ejercer si tuviera armas nucleares. No es descabellado pensar que se desataría una minicarrera armamentista en la región, y Oriente Medio es el último lugar del mundo donde uno querría semejante escenario.

PRESIDENTE AHMADINEJAD: —Yo le digo a Bush: el mundo lo amenaza a usted ya que ha tomado el camino de la adoración de Dios y la divinidad. Esa corriente progresa y usted no es nada ante la voluntad de Dios.

"Bueno, lo intentamos. El diálogo no terminó bien pero por algo se empieza. No vaya a ser que cuando nos demos cuenta, ya sea demasiado tarde.

O | OpenLeaks

Daniel Domscheit-Berg, 35 años, alemán, experto en seguridad informática. Empezó a trabajar en Wikileaks con su fundador, Julian Assange, casi desde el inicio y fue el vocero de la organización entre noviembre de 2007 y septiembre de 2010. Se alejó para fundar su propio sitio web, Open-Leaks.org. En un libro de reciente publicación, *Dentro de Wikileaks* (Roca), Domscheit-Berg cuenta la cocina de los tres años que pasó junto a Assange divulgando miles de documentos secretos de todo el mundo.

Entrevistado por videoconferencia en Barcelona, el balance que hace de sus años en Wikileaks es agridulce. Por un lado, dice que Assange es genial y carismático; por el otro, dice que es un egomaníaco que se cree James Bond. Acusa a Assange de falta de transparencia pero no por ser deshonesto sino por no compartir información. Dice que es arbitrario, caprichoso, machista y que no le importa nada pero le dedica todo su libro. Y dice que el dinero que recaude el libro será usado para costear un sitio basado en las ideas fundacionales de Wikileaks. Aunque Domscheit-Berg asegura que profundas diferencias éticas y filosóficas lo separan de su ex amigo, queda flotando una sensación de pelea de cartel.

¿Cómo se puso en contacto con Wikileaks?

A través de un amigo escuché algo, fui al sitio web y leí acerca de su orientación y filosofía, me uní al *chat room*, así de fácil era en esos días, y empecé a trabajar en el proyecto. Yo tenía experiencia en temas de seguridad, venía de trabajar para una importante empresa estadounidense en seguridad de redes.

¿Qué le interesó de Wikileaks?

Que tenía un montón de ángulos técnicos interesantes, soluciones interesantes, problemas solucionados a través de la técnica y también del contenido del sitio. Y siempre defendí la libertad de expresión en Internet; yo, que provengo de la computación, encontré una respuesta filosófica y tecnológica en los servicios que Wikileaks brindaba.

¿Cómo era Wikileaks al principio?

Eramos cinco o seis, cada uno trabajaba en su casa. No había financiamiento, no había jerarquías, no había organización. El proyecto lo hacíamos voluntarios de distintas partes del mundo unidos por una filosofía.

¿Y cuál es esa filosofía?

La idea de un mundo más accesible y transparente fue lo que atrajo a todos los que formamos parte del proyecto. La posibilidad de crear una herramienta global en tiempos en que las fronteras nacionales se diluyen. La globalización de las comunicaciones y la seguridad nos ha acercado mucho; 200 milisegundos separan a Barcelona del rincón más pobre del mundo. Wikileaks ofrece un potencial tremendo por la manera en que podría crear una comunidad utilizando esta herramienta de comunicación, en tiempos en que los medios tradicionales retienen información por presión de las corporaciones.

¿Qué fue lo que lo separó de Assange?

Todos invertimos nuestro tiempo, energía y dinero en el proyecto. Para diciembre de 2009 el sitio se había vuelto muy popular. Habíamos publicado los mensajes de texto (de autoridades estadounidenses) del 9/11. Dos meses antes habíamos publicado los documentos de la crisis bancaria en Islandia. Tuvieron mucha difusión y mucha gente se acercó al proyecto pero no recibimos donaciones. Entonces decidimos cerrar el sitio el 23 de diciembre para convencer al público de que nos apoye, y anunciamos que lo reabriríamos si recibíamos donaciones para armar el proyecto de manera apropiada. Inmediatamente recibimos muchas donaciones en 2010, suficientes para mantener el proyecto en funcionamiento. Cuando tuvimos el video del helicóptero Apache (que muestra a soldados estadounidenses disparando sobre civiles, entre ellos a un camarógrafo de la agencia Reuters), Julian quiso venderlo por un millón de dólares. Fue la primera disputa que tuvimos. Julian quería ir a toda máquina y llenarse de dinero como una estrella pop, y nosotros queríamos ir más despacio y construir el proyecto paso a paso, sobre terreno sólido. Ahí empezaron las diferencias. En el verano de 2010 la cosa se puso peor cada día que pasaba. Nos llamó miserables, desagradecidos e idiotas de *chat room*. Decidió que él era el fundador, filósofo, programador y financista de Wikileaks. Dijo que no podíamos criticarlo, que él era el líder y no podíamos desafiar su liderazgo. Sentí que era imposible seguir trabajando con él.

¿Qué otras peleas tuvieron?

Te doy dos ejemplos. En el verano de 2010 publicamos los cables de la guerra de Afganistán. Él se tomó un avión (a Londres) y negoció con *The Guardian*, *The New York Times* y *Der Spiegel* que tacharía los nombres de los informantes en situación de vulnerabilidad. A nosotros no nos dijo nada hasta un día antes de la publicación; se había comprometido a tachar los nombres pero había pasado todo el tiempo dando entrevistas y llevando la vida de una estrella de rock. Cuando le preguntamos sobre eso nunca contestó. El día anterior a la publicación reapareció en el chat y nos dijo: "Ah, sí, hay que editar 90.000 documentos y lo tenemos que hacer esta noche". Después retuvo 14.000 documentos a pedido de *The New York Times* para proteger a los informantes pero nos dijo que él mismo había elegido los documentos. Se la pasaba mintiendo. Te doy otro ejemplo. En 2009 conseguimos la información de más de 5.000 tarjetas de crédito con nombre, número y código de seguridad, todo lo necesario para usarlas. Tardamos dos semanas en convencer a Julian de no publicarlas porque a él no le importaba lastimar a la gente. Quería transparencia total, revelaciones absolutas, sin tener en cuenta las consecuencias.

¿Y cuál es el criterio de Wikileaks para publicar información?

El criterio de Julian es "información de potencial relevancia ética, histórica o política". El problema es que los errores ocurren cuando la persona responsable no escucha, no permite que lo critiquen, no rinde cuentas y se maneja de manera autónoma con los medios. La frase preferida de Julian es "no necesitás saber eso".

¿Cómo se produjo su ida de Wikileaks?

El desencadenante fue la acusación judicial en Suecia contra Julian (por abuso sexual). Todos pensamos que debió reacionar de manera distinta a la acusación pero se abusó de su poder como líder del proyecto Wikileaks al involucrar a la organización. Publicó un comunicado en nombre de la organización diciendo que tenía razones para pensar que la CIA estaba detrás de todo. Nosotros le habíamos aconsejado que tomara una licencia para defenderse y después volver a Wikileaks para no comprometer a la organización, porque a decir verdad las acusaciones no nos sorprendieron.

¿Qué quiere decir con eso?

Bueno, tengo que ser cuidadoso, ya que estoy patinando sobre hielo muy fino, no puedo decir mucho. Digamos que Julian es muy arrogante y chauvinista y tiene un concepto muy anticuado de cómo deben ser las relaciones entre el hombre y la mujer. Al mismo tiempo, es muy brillante y encantador, y ésa es una combinación peligrosa.

¿Y qué opina de la campaña de persecución contra Wikileaks que revelaron los documentos publicados por Anonymous?

Yo no creo que lo persiga la CIA ni nadie. Conozco instancias en que Julian dijo haber sido perseguido y vigilado y era todo mentira. A él le gusta la imagen de James Bond, le gusta la imagen de espía. Los documentos de Anonymous muestran que en diciembre de 2010 un banco estadounidense, el Bank of America, contrató una consultora de seguridad para evaluar el riesgo porque Julian había dicho públicamente que tenía documentos sobre un "banco americano". Es cierto, teníamos un disco duro que un empleado había sustraído del banco pero no había nada interesante. Quizás haya un archivo interesante pero yo no lo vi y dudo que Julian lo haya encontrado. Pero eso no le impidió salir al mundo a decir que le iba a causar un gran problema al banco porque se lo merecía. Eso es amenazar. Si tenés algo, publicalo; si no callate la boca en vez de andar amenazando con publicaciones que pueden no existir.

Quizá todavía no necesite divulgar los documentos del banco porque aún están circulando los documentos diplomáticos en los distintos diarios del mundo.

La idea original no era distribuir sólo a través de los diarios o a través de la BBC. En Rusia hay gente designada por Assange que vende Wikileaks. Esto también necesita aclararse.

Bueno, es que sin los diarios no hay difusión. Ése es un problema que va a tener OpenLeaks si sólo publica en su sitio web.

Es que no necesitamos mucha publicidad. Hay cierta confusión acerca de lo que hace OpenLeaks. Nosotros no publicamos documentos. No buscamos ser muy populares sino desarrollar herramientas útiles para acceder a una red de informantes. Nosotros proveemeos nuestra tecnología a organizaciones como Greenpeace para que pueda recibir documentación a través de una interfase segura. Actualmente estamos en una etapa experimental, trabajando con tres ONG y tres diarios para desarrollar y perfeccionar el modelo.

¿Con quiénes?

En este momento no lo puedo decir. Cuando el programa esté listo, seguramente ellos querrán hacer el anuncio.

No entiendo bien. Si alguien le quiere mandar un documento a Greenpeace o a un diario, por ejemplo, ¿para qué los necesita a ustedes?

Es posible que no confíen en ese diario. Antes podían mandar la información por correo en un sobre manila pero no sabían si el remitente sería rastreado; nosotros garantizamos que permanecerán anónimos. Internet implica un cambio cultural y nostros podemos ser los sobres manila de la era digital. Si nuestros servicios son necesarios, allí estaremos; si no, hay muchas soluciones posibles para distintos problemas.

Respuesta de Wikileaks

Hola Santiago,
Leímos con desconcierto la entrevista que mantuviste con Domscheit-Berg el miércoles pasado. WL considera las alegaciones de dicha entrevista falsas y gravemente difamatorias. Para tu conocimiento, actualmente el señor Assange está en procesos iniciales de iniciar acciones legales contra DOMSCHEIT-BERG por comentarios similares en otros medios.

P | Pampuro

En los documentos filtrados por Wikileaks aparecen muchos funcionarios kirchneristas y líderes parlamentarios del oficialismo que pasaron por la embajada estadounidense para negociar acuerdos y defender las políticas del gobierno. Algunos como Alberto Fernández, Sergio Massa, Sergio Acevedo o Martín Redrado usaron la embajada de confesionario después de sus salidas. Entre todos ellos se destaca José Pampuro. No sólo por sus fuertes y consistentes críticas al kirchnerismo, sino por el lugar que ocupa dentro del gobierno. Viejo amigo de Eduardo Duhalde y ex ministro de Defensa de Néstor Kirchner, Pampuro es senador nacional por el Frente para la Victoria en representación de la provincia de Buenos Aires. Es, además, el presidente provisional del Senado. O sea, el segundo en la línea sucesoria presidencial detrás del vicepresidente Julio Cobos. Ahora que el mandato de CFK llega a buen término esto parece un detalle, pero cuando Pampuro denostaba a su propio gobierno delante de diplomáticos extranjeros, muchos apostaban a otra cosa.

Si bien se abstuvo de criticar a Néstor Kirchner mientras formó parte de su Gabinete, sobre el final de ese gobierno, ya como miembro del Congreso, Pampuro empezó a desmarcarse. Según un cable del 25 de abril de 2007, el ya presidente *pro tempore* del Senado cargó contra la política exterior del gobierno hacia Venezuela. El embajador Earl Anthony Wayne le había preguntado por la decisión del gobierno de Chávez de retirarle la licencia al canal de aire RCTV por haber apoyado el golpe de Estado de 1992, una medida que había tenido una fuerte repercusión internacional.

Pampuro no elaboró sobre el tema RCTV o cómo va a reaccionar el gobierno de la Argentina si Hugo Chávez procede con la toma, sino que cambió la conversación a su indignación con el estado de la relación entre la Argentina y Venezuela. Pampuro explicó que entendía que la Argentina necesitara la ayuda de Venezuela para comprar bonos, pero le parecía que era una situación excepcional. Pampuro dijo que esperaba que el presidente Kirchner pueda ver que es tiempo de que el gobierno de la Argentina se distancie de la República Bolivariana de Venezuela.

La embajada se mostró complacida por las críticas del senador oficialista.

Comentario: Pampuro compartió cándidamente sus opiniones de la relación de la Argentina con Venezuela, admitiendo que son muy diferentes de las del gobierno.

En 2008, después del voto no positivo de Julio Cobos, Pampuro dijo a la embajada que la situación era muy difícil, que intentaba un acercamiento entre la Presidenta y el vice, que los gobernadores se habían alejado del gobierno y que la Ley de Medios iba camino a una derrota. Señala el despacho:

Su temor es que si el gobierno impulsa la Ley de Medios Audiovisuales ahora, será derrotado. Dijo que está trabajando para que el gobierno la postergue, pese al deseo de Néstor Kirchner de impulsarla.

La Ley de Medios fue aprobada por amplia mayoría en octubre de 2009. El cable cierra con otro comentario de la embajada sobre el espíritu crítico del líder parlamentario del oficialismo:

El panorama franco y crítico de Pampuro acerca de la situación política actual refleja el descontento y la preocupación del ala moderada del partido peronista sobre adónde los están llevando los Kirchner.

Otro despacho, del 29 de agosto de 2008, contiene las críticas de Pampuro al manejo del gobierno del conflicto agrario. El cable empieza y termina así:

Sumario: El presidente del Senado de la Argentina, Pampuro, otra vez criticó en privado el manejo del gobierno de la crisis del sector agrícola, mientras el gobierno y senadores de la oposición en tres reuniones separadas describieron los cambios ocurridos en la Argentina ante una delegación de funcionarios del Congreso Estadounidense encabezada por el funcionario del Comité de Relaciones Exteriores, Meacham.

Conclusión:
Una vez más, Pampuro fue sorprendentemente franco en su evaluación privada de la actuación de los Kirchner, indicando el grado de desconfianza entre los líderes tradicionales del partido sobre los pasos tomados por los Kirchner.

El último cable de la serie, del 9 de febrero de 2009, refleja que ya por entonces las críticas privadas de Pampuro al gobierno de Cristina Kirchner eran moneda corriente en la sede diplomática.

Sumario: Con su candidez acostumbrada, el presidente provisional del Senado, José Pampuro, un peronista moderado, le dijo al embajador Wayne el 4 de febrero que "el principal problema" que enfrenta el gobierno de Cristina Fernández de Kirchner (CFK) es su incapacidad para establecer un diálogo con la oposición, haciendo notar que el gobierno de la Argentina "está pagando las consecuencias" de sus errores durante el primer año de gobierno de la Presidenta.

Según el cable, después de escuchar a Pampuro, la embajada concluyó: "la oposición no está sola".

P | Piqueteros

Un día Raúl Castells pisó la embajada de los Estados Unidos.

Virulentamente antiestadounidense, Castells empezó una reunión en abril de 2009 con funcionarios de la embajada haciendo notar su incredulidad sobre nuestro interés en él y describiéndose como "enemigo de la embajada". Agregó que, en el pasado, su interacción con la embajada había sido desde afuera, protestando contra lo que describió como el "trato desconsiderado" de compañías de los Estados Unidos como McDonald's y Walmart [...] Castells culpa a NK y al gobierno de los Estados Unidos por su detención en 2004, después de que el Movimiento Independiente de Jubilados y Desocupados (MIJD) ocupara nueve locales de McDonald's y demandara 10.000 libros y leche en polvo. También acusa al gobierno de los Estados Unidos por su mala salud después de llevar adelante una huelga de hambre mientras estaba en la cárcel por haber ocupado un casino en el norte de la Argentina. Antes de que terminara la reunión con funcionarios de la embajada, Castells insistió en leerles un petitorio con quejas contra el gobierno estadounidense.

Este relato figura en un despacho diplomático de febrero de 2010 y es uno de cuatro cables filtrados por Wikileaks sobre el interés de la embajada en el fenómeno piquetero. Dichos cables muestran cómo cambió la mirada estadounidense hacia los piqueteros con la partida de Bush y la llegada de Obama a la Casa Blanca. Lo que antes era visto como un problema de seguridad pública pasó a verse como un fenómeno político con líderazgos, agenda, financiamiento y peso electoral a partir de sus alianzas con el gobierno y con sectores de la oposición.

El primer cable es de enero de 2008, a comienzos del último año de gobierno de Bush. Trata del tema de la seguridad, desde los accidentes de tránsito y los robos a turistas hasta los secuestros exprés y los policías abatidos en enfrentamientos con delincuentes.

En medio de esa mezcla, en la categoría "protestas", aparecen los piqueteros, a quienes el autor del cable asocia con barrabravas.

Las protestas más grandes y más disruptivas generalmente están patrocinadas por "piqueteros" (una colección de grupos de "activistas sociales" cuya táctica principal es cortar caminos). En Buenos Aires, las protestas generalmente ocurren en el centro y terminan en Plaza de Mayo, la Casa Rosada, el Congreso o el monumento en la 9 de Julio. Los manifestantes generalmente provienen de sindicatos y movimientos de desempleados-subempleados-sin tierra, grupos estudiantiles y de la izquierda política. Aunque la mayoría de las protestas es pacífica, hay elementos "barrabrava" que aparecen periódicamente para pelearse con la policía y/o practicar el vandalismo.

El siguiente despacho es de mayo de 2009. Obama llevaba cuatro meses en la Casa Blanca. Se trata del primero de una serie de tres cables que examinan el fenómeno piquetero desde una perspectiva política, económica y social, e incluye entrevistas con algunos de sus dirigentes. El objetivo de los encuentros con líderes piqueteros aparece explicitado al principio de los tres despachos.

Como parte de los esfuerzos continuos de la embajada de salir a contactar a un amplio espectro de la sociedad de la Argentina, funcionarios de la embajada recientemente sostuvieron una serie de encuentros con líderes piqueteros clave.

El primer cable cuenta una historia del movimiento, el segundo habla de los piqueteros K y el tercero de los piqueteros anti K. La forma en que se armó la serie, dividiendo a los grupos piqueteros de acuerdo con su marco de alianzas, sugiere que el interés de la embajada es más que nada político.

El despacho, firmado por Tom Kelly, dice que los piqueteros han sido aliados importantes de los Kirchner. Pero los define como un movimiento social que sirve de voz de los más humildes y que es, como tal, un fenómeno cultural.

Este movimiento social amorfo ha elevado el perfil de las preocupaciones y las demandas de la gran subclase de la Argentina y también ha jugado un rol en ampliar el poder político de los Kirchner, en parte a través de marchas, piquetes y boicots. Muchos argentinos también ven la permisividad del gobierno de la Argentina con las tácticas a veces ilegales de los piqueteros, sobre todo los cortes de ruta, como un apoyo a una cultura de ilegalidad e intimidación.

El cable cuenta que el movimiento empezó a mediados de los noventa con los cortes de ruta en Neuquén y Salta por parte de trabajadores petroleros despedidos. Esos primeros piqueteros no abandonaron la ruta hasta que fueron recontratados por las provincias, dice el cable. Pero no tenían afiliaciones con partidos políticos ni pedían planes sociales como los que vinieron después, añade el despacho. Los nuevos grupos tomaron el nombre y copiaron las tácticas de los piqueteros originarios, sobre todo el corte de rutas, dice el cable. Estos nuevos grupos surgieron cuando Menem comenzó a repartir subsidios sociales, se consolidaron cuando De la Rúa empezó a repartir parte de la ayuda social por medio de comedores comunitarios, y estallaron cuando Duhalde instauró el plan Jefas y Jefes de Hogar, señala el cable.

El despacho le adjudica a todos los piqueteros, sin distinciones de banderías políticas, el propósito primordial de recaudar la mayor cantidad posible de dinero del Estado.

¿Cuáles son sus objetivos? Muchos líderes piqueteros se acercan a funcionarios clave del gobierno con un objetivo claro en mente: incrementar sus subsidios gubernamentales para ampliar su base de miembros. Si sus demandas no se cumplen, amenazan con cortes de ruta y protestas. Analistas locales observan que los años electorales [...] son particularmente favorables para los piqueteros ya que el gobierno trata de mantener baja la conflictividad mientras se asegura la mayor cantidad posible de votos.

A continuación, el cable explica que muchos grupos piqueteros apoyaron o apoyan al actual gobierno porque es el único que no los reprimió.

El ex presidente Kirchner vio en el movimiento piquetero un potencial para fortalecer el apoyo a su gobierno entre la base de votantes de clase baja. Ganó el apoyo de algunos grupos piqueteros al no suprimir sus protestas y al incluir a más de 50 de sus líderes en los gobiernos locales y el gobierno nacional. El tratamiento que les dio NK fue un fuerte contraste con las acciones policiales contra sus protestas bajo los gobiernos de los ex presidentes Eduardo Duhalde (1999-2001) y Fernando de la Rúa (2002-2003).

El primer cable de la serie también incluye un relevamiento de los principales grupos y sus líderes.

Hoy existen unas 60 organizaciones piqueteras diferentes en la Argentina, la mayoría de ellas con base en los suburbios pobres de Buenos Aires. Según un informe del PNUD (Naciones Unidas) de 2002, hay por lo menos tres tipos de grupos piqueteros: los que pelean por subsidios para emergencias sociales, los que buscan paliar necesidades colectivas en sus comunidades, y los que promueven microemprendimientos. Los cinco principales son la Federación de Tierra y Vivienda (FTV), con 125.000 miembros y dirigido por el más notorio de los piqueteros, el aliado de Kirchner, Luis D'Elía; la Corriente Clasista y Combativa (CCC) con 70.000 miembros; el Movimiento Independiente de Jubilados y Desempleados (MIJD), con 60.000 miembros; Barrios de Pie con 60.000 miembros, y el Polo Obrero con 25.000 miembros. MTD Evita es más chico que los otros grupos pero su líder, Emilio Pérsico, un fervoroso seguidor de los Kirchner y funcionario de la provincia de Buenos Aires durante el gobierno de Felipe Solá, a menudo es capaz de movilizar unas 2.000 personas en las protestas a favor del gobierno. Muchos de estos grupos al principio estuvieron aliados (algunos lo siguen estando) con la central obrera extraoficial, Central de Trabajadores Argentinos (CTA). Los grupos piqueteros opositores tienden a ser más de izquierda, y los grupos pro Kirchner, aunque izquierdistas y virulentamente antiestadounidenses, tienden a ser más flexibles.

El despacho afirma que tanto los piqueteros oficialistas como los opositores están vinculados al gobierno por medio de los planes sociales. Destaca que el hoy minúsculo MTD Matanza, cercano a la Coalición Cívica, es la excepción a la norma porque no recibe planes sociales.

El segundo cable de la serie, fechado en julio de 2009 y también firmado por Kelly, traza perfiles de los "piqueteros K", D'Elía, Pérsico y Lito Borello, del Comedor los Pibes. El texto no deja dudas de que D'Elía dista mucho de ser el piquetero preferido de la embajada.

> Orador feroz, D'Elía, un argentino de descendencia palestina que se identifica racialmente como "negro", es conocido por sus declaraciones vengativas contra los "blancos" de la clase media y alta urbana.

El cable repite el mito de que D'Elía dice lo que Kirchner no se anima a decir. Al hacerlo da a entender, quizá sin proponérselo, que para la embajada el ex presidente es un racista reprimido.

> D'Elía ha servido de álter ego de Kirchner, promoviendo opiniones horribles y racistas sin comprometer explícitamente con sus palabras al gobierno de la Argentina.

El despacho es un poco más benévolo con Pérsico.

> Políticamente oportunista, Pérsico fundó el MTD-Evita en 2003, justo cuando los piqueteros empezaban a ganar poder con los Kirchner. Aunque Pérsico no comanda un grupo grande, es capaz de organizar redes piqueteras cuando los Kirchner lo necesitan.

Borello, en cambio, recibió comentarios elogiosos por su capacidad de gestión.

Mientras Borello es menos estridente en su apoyo (a los Kirchner) que D'Elía y Pérsico, parece comprometido con su organización comunitaria, que maneja como un mini-gobierno, con varios directores y asambleas semanales.

El cable destaca que el líder del Comedor los Pibes "vive en una humilde pensión".

El último despacho de la serie, de febrero del año pasado, traza perfiles de los piqueteros anti K Castells, Toty Flores (MTD-Matanza), Juan Carlos Alderete (CCC) y Jorge Ceballos y Luis Baigorria (Barrios de Pie).

```
Piqueteros—12 de febrero del 2010

C O N F I D E N T I A L BUENOS AIRES 000091

SIPDIS

E.O. 12958: DECL: 2035/02/12
TAGS: PGOV, PREL, ECON, AR
SUBJECT: Argentina: Profiles of Key Anti-Kirchner
Piqueteros

REF: BUENOS AIRES 526; BUENOS AIRES 794; BUENOS AIRES 13
09 BUENOS AIRES 1084; 08 BUENOS AIRES 980

CLASSIFIED BY: VilmaSMartinez, Ambassador, DOS, Exec;
REASON: 1.4(B),
(D)

1. (SBU) Summary: In recent months, Argentina's social
activist
movements, known as piqueteros, have captured the media
spotlight
through frequent protests. While former President Nestor
Kirchner's efforts to co-opt the movement have divided
it, the
hotly contested title for noisiest piqueteros goes (at
least
recently) to groups that oppose the Kirchners. Nicknamed
```

Dice el cable sobre Flores, actual diputado nacional:

En 2001, Flores abrió un centro comunitario en La Matanza, que le provee oportunidades laborales a los habitantes locales a través de microemprendimientos, incluyendo una panadería y una imprenta. Flores dijo que entró en la política como un aliado de la Coalición Cívica de Elisa Carrió porque espera expandir su modelo en La Matanza a otras partes del país.

Señala el documento sobre el líder de la CCC:

La CCC ha construido más de 4.000 viviendas de bajo costo y una planta de tratamiento que le provee agua potable a 500.000 residentes de La Matanza. El afable Alderete ha dictado conferencias en México, Sudáfrica y en la cumbre de Naciones Unidas sobre pobreza en Nairobi, Kenya.

Dice el cable respecto de los dos piqueteros que fueron funcionarios del gobierno kirchnerista:

Mientras Ceballos acepta el postulado del gobierno de que las condiciones para los pobres mejoraron desde 2003, cree que NK busca limitar el involucramiento político de las organizaciones sociales. Baigorria le dijo a funcionarios de la embajada que NK inicialmente incluyó a los pobres y a los desempleados en el debate y los proveyó con jubilaciones adecuadas. Para Baigorria, los Kirchner perdieron el apoyo de Barrios cuando dejaron de escuchar otros puntos de vista, sobreestimaron su poder y subestimaron el de sus enemigos.

P | Porro

Néstor estaba en contra. Cristina a favor. Alberto Fernández a favor. Aníbal Fernández a favor, después en contra, después a favor. La Secretaría de Drogradicción siempre estuvo en contra. El comité de expertos convocado para estudiar en tema, a favor. La Corte Suprema a favor. Mauricio Macri, Francisco de Narváez, Felipe Solá y el gobernador de Tucumán, José Alperovich, en contra. El ministro de Justicia, Julio Alak, no dice nada, pero le pide información a los que están en contra.

La embajada de los Estados Unidos siguió paso a paso el debate por la legalización del porro, que finalmente llegó a la Argentina en agosto de 2009 con un fallo de la Corte Suprema. Según una serie de cables filtrados por Wikileaks que se refieren al tema, a partir de la presidencia de Cristina Kirchner el gobierno empezó a apoyar la idea de descriminalizar la tenencia de pequeñas cantidades de droga como parte de una política más amplia de dejar tranquilos a los consumidores para ocuparse de los traficantes. Los cables muestran también que la embajada estadounidense no está de acuerdo con esta política pero tampoco se opone. No está de acuerdo con ninguna legalización de las drogas porque cree que eso alentaría el consumo, dicen los cables. Pero acepta la estrategia argentina porque los funcionarios que la impulsan mantienen excelentes relaciones con la DEA, la agencia antinarcóticos estadounidense. Además, porque las políticas fueron explicadas por funcionarios, jueces y especialistas conocidos y respetados por la embajada.

La serie empieza con un cable de diciembre de 2004, a principios del gobierno de Néstor Kirchner. Se trata de un informe sobre la situación de las drogas en el país:

La Argentina no es un país productor importante pero es un país de tránsito para la cocaína que llega desde Colombia, Perú y Bolivia, cuyo destino principal es Europa.

El cable no dice nada sobre la legalización. En cambio, dice que la relación con la Argentina en el tema drogas es excelente. Tan buena que ese año se firmó un convenio entre el Departamento de Estado estadounidense y el gobierno de la Argentina que los norteamericanos venían buscando hace diez años, dice el cable. Ese acuerdo permite a las agencias del Departamento de Estado, la DEA y el FBI, acceso a distintas dependencias del gobierno, dice el despacho. La embajada, feliz. Es cierto, falta presupuesto para combatir mejor a los narcos, sobre todo radares para impedir que la droga llegue desde el norte, pero el gobierno está trabajando en eso, dice el cable. Mientras tanto, el gobierno trabaja muy bien con la DEA, hay buena coordinación entre las agencias, buenos planes, la Argentina es muy activa en los foros internacionales sobre el tema, el comando de la frontera norte financiado por la DEA anda muy bien, el "Grupo Cóndor" en Cuyo también, hay planes futuros para crear un comando similar en la zona de la Triple Frontera, otro en el puerto de Buenos Aires para vigilar el tráfico marítimo desde Uruguay, y otro en el aeropuerto de Mendoza para controlar el tráfico hacia Chile, dice el cable.

Porro--17 de diciembre del 2004

UNCLAS SECTION 01 OF 04 BUENOS AIRES 003490

SIPDIS

INL FOR TOM MARTIN
JUSTICE FOR OIA, AFMILS, AND NDDS
TREASURY FOR FINCEN
DEA FOR OILS AND OFFICE OF DIVERSION CONTROL

E.O. 12958: N/A
TAGS: SNAR, PGOV, AR, PREL PGOV
SUBJECT: ARGENTINE CHAPTER OF 2004-2005 INCSR PART I

REF: STATE 248987

I. Summary

1. Argentina is not a major drug producing country, but it
is a transit country for cocaine flowing from neighboring
Bolivia, Peru and Colombia primarily destined for Europe.
Argentina is also a transit route for Colombian heroin en
route to the U.S East Coast (primarily New York). Due to its
advanced chemical production facilities, Argentina continues
to be a source for precursor chemicals. According to
Argentine Government (GOA) statistics, there was more cocaine
seized in the first three quarters of 2004 than in the entire
2003 calendar year. In addition to Argentine traffickers,
there is evidence that Colombian drug traffickers have
greatly increased their presence in all aspects of the
Argentine drug trade. In 2004 there was an increase in
domestic cocaine production using coca base imported from
Bolivia. In late 2004, the GOA seized a Colombian-run
cocaine laboratory located in the Buenos Aires area
reportedly capable of producing up to 300 kilos of cocaine.
This may signal a new chapter in the global war on drugs, as
Colombian narcotics traffickers search out alternative bases
of operations and transit routes in response to the increased
pressure of Plan Colombia. Also of concern is that according
to GOA statistics, domestic drug use continues on the
upswing. The dangerous trends of increased domestic drug
consumption and production coupled with the increased

El gobierno de la Argentina reconoce el aumento en el tráfico y el consumo de narcóticos y durante 2004 ha tomado pasos concretos para combatir estos problemas crecientes. En septiembre, después de diez años de negociaciones, el gobierno de la Argentina firmó una Carta de Entendimiento (LOA, en inglés) del Buró Internacional de Narcóticos y Aplicación de la Ley (INL, en inglés; una dependencia del Departamento de Estado) con los Estados Unidos, demostrando tanto su creciente voluntad de trabajar con los Estados Unidos en temas relacionados con narcóticos como de permitir que los Estados Unidos puedan empezar a proveer asistencia al gobierno de la Argentina. En diciembre, el Ministerio del Interior empezó a desarrollar un plan de seguridad nacional que le apunta precisamente a las áreas de narcotráfico en las fronteras con Bolivia y Paraguay, y le pidió asistencia a la DEA en las fases de planeamiento y ejecución de este proceso vital. También en diciembre la oficina del gabinete argentino encargada de la prevención (Sedronar) anunció planes para crear el primer plan nacional de prevención de drogas con énfasis en la educación juvenil y la información pública. El Sedronar le ha pedido al jefe de inteligencia de la embajada que estuviera involucrado en el proyecto para compartir experiencias en países vecinos. El consumo y el tráfico de narcóticos son temas importantes en la Argentina y la relación del gobierno argentino con el gobierno de los Estados Unidos en temas vinculados a los narcóticos es extremadamente cercana y positiva.

Acerca del porro, el cable dice que casi todo viene de Paraguay, y no mucho más. "El cultivo de marihuana es casi inexistente", afirma el despacho.

El siguiente cable de la serie es de junio de 2006, ya sobre el final del gobierno de Néstor Kirchner. Narra una conversación con José Granero, titular del Sedronar, la Secretaría de Programación para la Prevención de la Drogadicción y la Lucha contra el Narcotráfico. La colaboración con la DEA sigue siendo excelente, dice el cable, pero algunas cosas han cambiado. El entonces ministro del Interior, Aníbal Fernández, a cargo de la fuerzas de seguridad, se ha peleado a muerte con Granero, dice el cable. Ha dado una orden para que ningún policía federal, gendarme o prefecto trabaje con el Sedronar. Eso complica el trabajo conjunto con la DEA y le quita efectividad a la lucha contra el narcotráfico, dice el cable. La otra novedad es que han surgido voces en el gobierno en apoyo a una propuesta de descriminalizar la tenencia de pequeñas cantidades de droga, dice el despacho. Granero que está completamente en contra, dice que el Gabinete está muy dividido pero que no se preocupe porque Néstor Kirchner está en contra y no va a pasar nada.

[Granero] lamentó que el jefe de Gabinete, Alberto Fernández, ahora estuviera promocionando abiertamente la descriminalización, e hizo referencias negativas sobre el apoyo del ministro del Interior, Aníbal Fernández, a la legalización. La pelea constante de Granero con el ministro del Interior ciertamente debilita la cooperación entre agencias.

Más abajo agrega:

Con respecto a informes recientes de que el gobierno de la Argentina está considerando descriminalizar pequeñas cantidades de ciertos tipos de narcóticos, Granero confirmó que el Ministerio del Interior estaba considerando el tema y agregó que el jefe de Gabinete, Alberto Fernández, estaba personalmente a favor de la descriminalización. Agregó que en ese momento el gobierno de la Argentina estaba profundamente dividido con respecto al tema y que su oficina estaba combatiendo activamente esas propuestas, tanto dentro del gobierno como en el Congreso. Enfatizó que Kirchner estaba fuertemente en contra de la descriminalización, lo que efectivamente bloquearía cualquier iniciativa en el Congreso.

El siguiente cable, de julio de 2006, da cuenta de una visita del presidente boliviano Evo Morales a la Argentina. Al igual que el anterior, cita a Granero para afirmar que Néstor Kirchner se opone a la legalización.

Comentario: el titular de la Secretaría de Prevención de la Drogadicción (Sedronar), doctor José Granero, le ha dicho al subjefe de misión que Kirchner se opone a la legalización, así como a la importación de hojas de coca desde Bolivia.

Después viene un cable de julio de 2007, seis meses antes del traspaso del gobierno entre Néstor y Cristina Kirchner. Se refiere a una reunión que convocó Aníbal Fernández con un grupo de embajadores de Sudamérica, Europa y los Estados Unidos para anunciarles la nueva política antidrogas del gobierno, que buscaba cambiar el eje hacia el principio de la cadena de narcotráfico, en vez de focalizarse en el último eslabón. Según el cable, Fernández habló del predicamento de los consumidores bajo el régimen imperante pero no dijo nada de legalizar. El despacho agrega que los Estados Unidos apoyan completamente el enfoque argentino.

Fernández señaló las limitaciones de lo que describió como las políticas "represivas", demasiado orientadas hacia el primer eslabón de la cadena de narcotráfico, resultando en juzgados y cárceles sobrepasados de criminales menores y consumidores. En cambio, Fernández señaló que los países y la comunidad internacional deberían enfocarse más en la prevención y en proveer asistencia y servicios a los consumidores y esforzarse por reducir los daños resultantes del consumo de narcóticos. Varias veces durante su presentación, el ministro citó la excelente cooperación que tiene con la embajada y particularmente con la oficina de la DEA, y cómo la embajada se ha enfocado en el tema de mejorar la coordinación entre entidades argentinas, así como entre entidades del gobierno de la Argentina e instituciones del gobierno de los Estados Unidos como la DEA y el FBI.

El siguiente cable fue escrito dos semanas más tarde y da cuenta de una reunión entre Aníbal Fernández y el congresista estadounidense Roscoe Bartlett. Fernández seguía a cargo de Interior pero ya había sido designado para ocupar la cartera de Justicia en el nuevo gobierno de Cristina Kirchner, aunque conservando la Policía Federal, la Gendarmería, la Prefectura y la Policía Aeroportuaria bajo su ala, ya que al mismo tiempo la Secretaría de Seguridad pasaba de Interior a Justicia. Según el cable, en su charla con el congresista, Fernández insistió con el cambio de paradigma en la lucha contra el tráfico de drogas pero aseguró que él no está de acuerdo con la legalización.

El representante Bartlett opinó que debería ponerse más énfasis en la educación sobre las drogas y que el foco en el lado de la oferta de drogas era una pérdida de dinero. Dijo que el mundo ha venido atacando la venta y la provisión de drogas durante 50 años y que las drogas siguen prevaleciendo en la calles. Fernández estuvo muy de acuerdo con este análisis; sin embargo, tanto Fernández como Bartlett sostuvieron que las drogas no deberían ser legalizadas.

En marzo de 2008, Aníbal Fernández ya era ministro de Justicia, Seguridad y Derechos Humanos cuando visitó la embajada para anunciar oficialmente que la Argentina había cambiado su política antidroga, dice otro cable. El ministro ofreció una detallada explicación de por qué, a su juicio, la política anterior había fallado, con distintas cifras del abultado costo para los sistemas carcelario y judicial de perseguir a consumidores y traficantes menores. También mencionó el ejemplo de varios países europeos que se alejaban del modelo represivo. El cable dice que la política de Fernández no tenía el apoyo total del gobierno y que había que ver hasta dónde llegaba.

El autor del texto no parece estar seguro sobre la postura de la Presidenta respecto del tema. Cita a Granero diciendo que ella tiene una posición "más conservadora" que Fernández en la cuestión pero también cita a Fernández diciendo que tiene el apoyo pleno de Cristina Kirchner.

En este cable, al igual que el anterior, Aníbal Fernández da a entender que le gustaría aliviar la situación de los consumidores pero otra vez se manifiesta en contra de la legalización.

Una fuente anónima del gobierno federal es citada por (el diario) *La Nación* diciendo que la descriminalización es un tema a ser debatido y revisado, que el gobierno no tiene "nada concreto" y que mucho queda por delante antes de que algo llegue al Congreso. Como se señaló anteriormente, el ministro Fernández ahora sostiene que no está proponiendo la descriminalización.

Sin embargo, el cable también menciona que existe una descriminalización de hecho porque muchos jueces se niegan a procesar a consumidores de pequeñas cantidades de droga. Ese criterio parecía ser el mismo del comité científico que el ministro había formado para estudiar el tema, dice el despacho:

> Fernández formó un comité asesor científico para ayudarlo a informar sobre su nueva política. Mientras los informes de prensa dicen que el comité en general apoya la descriminalización del uso de drogas, su trabajo continúa.

El cable, firmado por el entonces embajador Earl Anthony Wayne, es el primero de la serie en hacer explícito el desacuerdo de la embajada respecto de la política del gobierno, que poco a poco empezaba a inclinarse hacia el apoyo a la legalización:

> Fernández cree sinceramente que bajando la prioridad de la seguridad pública (y quizá de las penalidades) dada por la posesión para uso personal va a hacer más efectivos los esfuerzos anticrimen del gobierno de la Argentina, liberando recursos policiales y de la justicia para perseguir a los traficantes. Cree que la estrategia actual agarra a muchos peces chicos pero permite que los grandes se escapen. Pero el nuevo enfoque conlleva riesgos. La experiencia demuestra que para llegar a los peces gordos muchas veces hay que empezar por los más chicos. Además, una política del gobierno vista como demasiado permisiva con el uso ilícito de drogas podría generar un rechazo público dada la conexión entre los narcóticos y la inseguridad. Tenemos una larga y excelente relación con Fernández y sus asesores. Mientras él avanza con esta política, la embajada trabajará con él para tratar de limitar el impacto negativo no intencional

en nuestros esfuerzos antinarcóticos a nivel bilateral y regional.

El siguiente cable es de julio de 2008. Fernández visita la embajada acompañado por los jefes de la Federal, Prefectura y Gendarmería para anunciar nuevas medidas para controlar el tráfico de efedrina, y dice que está trabajando en una nueva ley de drogas para combatir las nuevas amenazas del narcotráfico. La embajada está al tanto de la nueva ley y entiende que legaliza el porro. Fernández contesta que no pero deja abierta una puerta para que los jueces sobresean a los consumidores.

El jefe de la DEA dijo que había cierta preocupación por el estatus de la marihuana en la futura ley y preguntó específicamente qué cantidad de marihuana sería considerada ilegal. La impresión era que la marihuana efectivamente quedaba descriminalizada en el proyecto de ley. El ministro respondió que no habría una cantidad legal de marihuana y que la posesión de la droga seguiría siendo ilegal. Sin embargo, los jueces en cada caso pueden determinar la sentencia.

En octubre de 2008, con la presencia de cinco ministros e importantes figuras de la justicia y la academia, y también del embajador de los Estados Unidos y del jefe de la delegación local de la DEA, el gobierno presentó su nueva estrategia de drogas en el Colegio Público de Abogados. "La base para la conferencia fue la publicación de las recomendaciones del Comité Asesor para el Control del Tráfico Ilícito de Drogas, Sustancias Psicotrópicas y Crímenes Complejos, coordinado por la doctora Mónica Cuñarro, una abogada penal de la capital. Cuñarro enfatizó varios aspectos clave del informe en su discurso", dice un cable que describe las jornadas en las que se fundamentó la nueva estrategia y se presentaron varios proyectos de ley y propuestas de reforma para la Justicia y el Ejecutivo, incluyendo un proyecto de ley para descriminalizar el consumo. Según el cable, la jornada volvía a poner en el tapete el tema de la legalización después de que la Presidenta lo hubiera puesto en duda dos meses atrás.

Las jornadas ofrecieron el primer diálogo público serio sobre la descriminalización desde que la presidenta Fernández de Kirchner pusiera a la idea en duda públicamente a principios de agosto.

El cable hace notar la ausencia de Granero y la vincula con su cerrada oposición a la legalización.

José Granero, cabeza de la agencia gubernamental antinarcóticos Sedronar, estuvo notablemente ausente del evento del 9 de octubre. […] Granero ha sido crítico de la descriminalización (algo que también hemos escuchado de otros funcionarios involucrados en la lucha contra el narcotráfico), expresando su preocupación de que llevará a un mayor consumo.

El despacho dice que los argumentos de Fernández y Cuñarro sonaron convincentes pero que todavía no era claro que el gobierno pudiera pasar una ley para legalizar el consumo, o que quisiera intentarlo.

Fernández y Cuñarro ofrecieron una serie de críticas convincentes a las políticas antidrogas de la Argentina al armar su caso a favor de la descriminalización pero no es evidente que la idea tenga apoyo amplio. Es una idea que encuentra simpatizantes y detractores tanto dentro del kirchnerismo como de la oposición, así que no está claro cómo se conformaría una mayoría en el Congreso para cambiar la ley. También haría falta que la presidenta gaste algo de su capital político para que tenga éxito, y la Casa Rosada querrá conservar ese recurso para lograr otros objetivos. Mientras tanto, seguiremos respondiendo y alentando los esfuerzos del gobierno de la Argentina para incrementar su efectividad contra el tráfico y la naciente producción de drogas ilegales, incluyendo un mejor control de los precursores químicos. Notablemente, la cooperación concreta de la DEA con las fuerzas de seguridad del gobierno de la Argentina continúa dando buenos frutos.

En enero de 2009 ya no quedaban dudas acerca de la postura de la presidenta Kirchner a favor de la descriminalización, dice otro cable.

Funcionarios del gobierno de la Argentina continúan impulsando la idea de despenalizar la posesión personal de narcóticos, incluyendo marihuana y cocaína. La propuesta, avanzada en varios puntos en 2008, tiene el apoyo de la presidenta Cristina Fernández de Kirchner, quien argumentó que el gobierno argentino necesitaba redireccionar recursos hacia la persecución de los traficantes y el tratamiento de los consumidores. La propuesta fue adelantada por el panel científico encabezado por la fiscal federal Mónica Cuñarro, con el respaldo de Fernández. Granero, varios legisladores de la oposición, funcionarios de la Iglesia católica y funcionarios provinciales de varias regiones han manifestado su preocupación por la propuesta y la conexión entre el uso de drogas y el aumento de la inseguridad, la principal preocupación de los argentinos según encuestas recientes. Aunque el Congreso está empezando a discutir seriamente cómo semejante ley puede ser estructurada, todavía no hay un solo proyecto de ley del gobierno.

El cable consigna por primera vez la posibilidad de que la despenalización llegue por el lado de la Corte Suprema.

Se espera un fallo de la Corte Suprema tan pronto como febrero de 2009 en un caso de un individuo detenido durante dos noches por la policía por posesión de cigarrillos de marihuana. La Corte considerará si la detención policial por una posesión menor viola el derecho constitucional del ciudadano a su privacidad. Una jueza de la Corte, Carmen Argibay, le dijo a la prensa que apoyaba la descriminalización y que la mayoría de la Corte estaba a favor de no criminalizar la posesión de pequeñas cantidades para uso personal. Las autoridades legales están preocupadas de que un fallo judicial que prohíba la detención por posesión menor vaya a crear una confusión legal hasta que la ley se reforme para definir las penas, o despenalizar dicha posesión.

El 25 agosto de 2009, la Corte Suprema falló a favor de la descriminalización de la posesión de pequeñas cantidades de droga, tal como lo había anticipado la embajada, señala otro cable. El despacho explica los fundamentos del fallo y las distintas posturas del debate. Aníbal Fernández, promovido a jefe de Gabinete, ha dejado atrás su cautela inicial para convertirse en un abanderado de la causa.

El jefe de Gabinete del gobierno, Aníbal Fernández, un fuerte impulsor de la descriminalización durante su paso por el Ministerio de Justicia, Seguridad y Derechos Humanos, elogió el fallo de la Corte y enfatizó la intención del gobierno de combatir el tráfico.

En cambio, el obispo Jorge Lozano no tuvo reparos en criticar el fallo, dice el cable.

Entre los críticos de la medida se incluyen la comisión pastoral sobre adicciones de la Iglesia católica liderada por el obispo Jorge Lozano. Lozano dijo que mientras la comisión entiende las razones detrás del fallo, el país no superaría la "tragedia del abuso de drogas, sobre todo entre los jóvenes y los adolescentes, facilitando el consumo y haciendo que algo que es malo parezca aceptable".

Mauricio Macri dijo que el fallo era un "error"; Francisco de Narváez dijo que "ayudaría a los traficantes", y Felipe Solá dijo que el país "no está preparado para la descriminalización", agrega el despacho.

En el medio entre los que apoyan y los que critican la legalización del porro quedó el ministro de Justicia, Seguridad y Derechos Humanos, dice el cable.

El nuevo ministro de Justicia, Seguridad y Derechos Humanos, Julio Alak, le preguntó en un aparte qué piensa del impacto que tendrá la descriminalización. Alak dijo que estaría interesado en estudios que muestren los efectos de medidas de descriminalización en el consumo de otros países.

Según el cable, la embajada reconoce que los funcionarios del gobierno y los jueces de la Corte Suprema ofrecen "argumentos válidos" a favor de la despenalización pero sigue pensando que es una mala idea porque va a disparar el consumo. Sin embargo, la colaboración con la DEA sigue siendo muy buena y por eso la embajada se va a guardar sus críticas, dice el despacho.

Mientras los líderes del gobierno de la Argentina y la Corte Suprema ofrecen argumentos válidos sobre la falta de recursos suficientes en la Argentina para ayudar a los adictos, no está claro que el fallo de la Corte Suprema consiga un incremento real en la atención que se le presta a este déficit. Mientras tanto, el país enfrentará nuevos desafíos al afrontar un creciente incremento del consumo. No nos preocupa que el fallo disminuya nuestra importante colaboración bilateral contra el tráfico de drogas y lo haremos saber si nos pregunta la prensa. Por el momento, sin embargo, el potencial impacto del fallo en la demanda local amerita nuestra atención, así como la respuesta del gobierno en términos de mejorar sus resultados en prevención y tratamiento.

R | Randazzo

En la peor crisis que enfrentó el gobierno de Cristina Kirchner, durante la pulseada con la Mesa de Enlace por las retenciones al agro, "el flaco" Florencio Randazzo jugó a dos puntas. Al menos eso dice un cable diplomático de junio de 2008 filtrado por Wikileaks.

Según el despacho, para la embajada la actitud de Randazzo durante el conflicto rural fue contradictoria. En público, el ministro del Interior defendía la postura del gobierno de no negociar bajo presión, dice el cable. Pero en un encuentro privado con diplomáticos estadounidenses Randazzo dijo que el gobierno debía negociar con la oposición porque así funciona la democracia. En esa reunión, el ministro abogó por una solución que dejara contentos "a todos los sectores", agrega el despacho.

El cable señala que el funcionario defendió como "necesario y justificado" el aumento a las retenciones agropecuarias que había generado el conflicto. Agregó que muchos manifestantes se plegaron a la protesta por distintas quejas que tienen contra el gobierno, y no por solidaridad con los productores agrícolas.

Según el cable, el embajador Earl Anthony Wayne le contestó que al sistema político argentino le vendría bien que existieran más foros para canalizar esas quejas, "por ejemplo partidos de oposición bien organizados". Wayne dijo que esos canales existen en los Estados Unidos pero opinó que no hay suficientes en la Argentina. Randazzo sorprendió al embajador contestando que había que abrir un diálogo con la oposición, dice el texto.

Afirmó que es imprescindible que el gobierno de la Argentina negocie con la oposición, "que es un elemento crítico de una democracia como la nuestra", y alcance una solución que "armonice los intereses de todos los sectores".

En su comentario final, el autor del cable describe a Randazzo como un posible "contacto útil" y destaca la dicotomía discursiva entre el funcionario público y el informante privado.

Comentario: a pesar de que Randazzo dirige una cartera significativamente reducida (por el traspaso de las fuerzas de seguridad al Ministerio de Justicia), parece un interlocutor abierto e interesado en relacionarse con el gobierno de los Estados Unidos. Es conocido por mantener buenas relaciones en la provincia de Buenos Aires y con los Kirchner, y su carrera política siempre ha estado conectada con el PJ. Como tal, podría ser un contacto útil en temas de tráfico de personas en particular y en temas migratorios en general. Su abierto análisis del actual paro del sector agrícola fue notable, así como su opinión —contraria a la postura pública de ese momento de su Presidenta— de que la situación requería una negociación. Sin embargo, más tarde ese mismo día, en entrevistas públicas en la radio y la televisión, siguió al pie de la letra la línea oficial del gobierno, diciendo que el gobierno de la Argentina sólo negociaría una vez que los paros patronales hubieran terminado.

R | Rodríguez Saá

En su visita de dos días a la provincia de San Luis en noviembre de 2007, el embajador estadounidense Earl Anthony Wayne pudo conocer *in situ* el peculiar estilo de Alberto Rodríguez Saá. El gobernador puntano lo paseó por los boxes de una carrera de autos y lo agasajó con una cena de honor en su mansión de El Durazno, donde evocó la memoria de Martin Luther King y de los primeros colonos que llegaron a América del Norte a bordo del buque *Mayflower* en 1620. El embajador completó su viaje con una visita a la base aérea de Villa Reynolds, donde debió presenciar un acto de homenaje a los caídos en la guerra de las Malvinas, y otra visita a la Universidad de La Punta, donde habló con becarios que habían calificado para viajar a los Estados Unidos y conocer por dentro la agencia espacial NASA. Las impresiones del embajador sobre el actual precandidato a presidente y titular del gobierno puntano figuran en un cable de febrero de 2008 filtrado por Wikileaks.

El cable no dice nada sobre los cuadros que pinta Rodríguez Saá, sus novias de la farándula, su minizoológico de faisanes, o sus teorías sobre civilizaciones extraterrestres. Pero señala que Rodríguez Saá exhibió con orgullo su mansión, señalando que él mismo la había diseñado y contruido y que lo había hecho usando materiales reciclados.

Uno de los aspectos más positivos que destaca el cable es la extensa y positiva cobertura de prensa que recibió la visita del embajador Earl Anthony Wayne.

La visita recibió una cobertura extensa en la prensa provincial. El principal diario local, *El Diario de la República*, publicó durante tres días consecutivos notas sobre la visita del embajador, enfocadas en su interés en conocer la provincia y expandir la cooperación en las áreas de ciencia y tecnología. Una de las notas, publicada en la portada, destaca la visita del embajador a la Universidad de La Punta y su mensaje de cooperación entre instituciones educativas y de investigación de la Argentina y los Estados Unidos. En la universidad, el embajador dio una conferencia de prensa junto con el director de la institución, Banuelos, que fue cubierta por diez periodistas de estaciones de radio y televisión locales. El embajador también fue entrevistado por la estación de televisión de la universidad para un programa especial de estudiantes secundarios que viajarán a la NASA.

Tanto *El Diario de la República* como los principales diarios, radios y canales de televisión de la provincia son propiedad de la familia Rodríguez Saá.

La visita arrancó a todo motor, con una "excelente oportunidad" para fotografiarse con el gobernador, señala el cable.

La carrera de autos, la primera carrera internacional GT en un autódromo recién estrenado, demostró ser una excelente oportunidad fotográfica para el embajador, que así le dio el puntapié inicial a su visita a la provincia. El gobernador Alberto Rodríguez Saá, el embajador Wayne y el organizador Stephane Ratel fueron fotografiados mientras caminaban entre los boxes (los habitantes locales gritaban saludos al gobernador, incluyendo "Alberto presidente").

Después llegó la cena en la mansión del gobernador, donde en los últimos años vivieron las actrices Leonor Benedetto y Esther Goris y la conductora de televisión Anabela Ascar.

Durante la cena con el gobernador y con funcionarios provinciales en la legendaria casa que él mismo diseñó, construyó y decoró con materiales reciclados, el gobernador se vanaglorió de la importancia de usar la tecnología para proteger el medio ambiente y mejorar las vidas de las personas.

El cable no da más detalles de la mansión, pero según el diario *Perfil*, "tan extraña como espectacular (es la) casa que Alberto Rodríguez Saá tiene en El Durazno, en la que, por ejemplo, las arañas están hechas con caños de escape viejos y hay muchos más accesorios de decoración realizados con chatarras y basura reciclada".

En la cena, después de hablar de su casa reciclada, Rodríguez Saá destacó la importancia de plantar árboles.

Dijo que la nueva Universidad de La Punta está desarrollando un programa de computación que le va a demostrar a los niños cuántos árboles deben plantar para cubrir el gasto energético de su casa. El programa apunta a complementar los esfuerzos del gobierno de plantar árboles a lo ancho de la provincia.

A continuación, el gobernador demostró sus conocimientos de historia de los Estados Unidos.

El gobernador describió la victoria del presidente electo Barack Obama como "una inspiración", haciendo notar que había completado parte del sueño de Martin Luther King. Destacó la importancia de la libertad en una democracia, se refirió al viaje del *Mayflower* en 1620 para establecer la libertad religiosa y de expresión, y opinó que San Luis sólo estableció una ley de libertad religiosa y de expresión en el año 2002.

Al día siguiente de la cena el embajador recorrió una fábrica, la base aérea y la universidad. En Procter & Gamble le mostraron el nuevo sistema de la línea de montaje que permite más eficiencia y menos intervención de los supervisores que el sistema anterior, dice el cable.

En la base aérea lo recibió el comandante del lugar, Mario Fernando Roca.

Roca le explicó al embajador la capacidad de su brigada aérea y le dio una visita guiada de la base, que incluyó planificación de vuelos, entrenamiento en simuladores de vuelo, instrucción en el aula, así como verdaderas misiones (vuelos). Durante el almuerzo, el embajador y Roca conversaron sobre el excelente estado de las relaciones militares entre los Estados Unidos y la Argentina, y el embajador señaló la importancia del intercambio de entrenamiento y educación militar existente entre ambos países.

Después del almuerzo hubo ceremonia.

El embajador participó en una ceremonia para conmemorar las fuertes pérdidas que sufrió la unidad durante la guerra por las Malvinas/Falklands con el Reino Unido en 1982.

Después llegó el turno de la Universidad de La Punta. Wayne observó que Rodríguez Saá había moldeado esta institución pública provincial de acuerdo con sus gustos personales.

Con una arquitectura moderna, la universidad, que tiene cuatro años, refleja los intereses clave del gobernador, entre los que se destaca un observatorio espacial y les ofrece a sus mil estudiantes programas de dos años que los preparan para carreras en desarrollo de software, cine, turismo y guardabosques.

El cable destaca la instalación de Internet gratis en toda la provincia, entre otros programas sociales y de obra pública del gobierno puntano. También registra algunas quejas de empresarios locales por el carácter clientelar de esos programas.

Los ejecutivos también pusieron al día al embajador acerca de sus esfuerzos en el área de Responsabilidad Social Empresaria (RSE), que incluyen apoyo a escuelas, hospitales y bomberos voluntarios locales. Dijeron que el gobierno provincial no apoya esos esfuerzos de RSE, y que responde a invitaciones diciendo que el gobierno es responsable de asistir a las comunidades en vez de empresas extranjeras.

Salvo por ese detalle, el embajador volvió satisfecho de su visita a San Luis. El cable señala en tono neutral y al pasar que la familia Rodríguez Saá gobierna San Luis ininterrumpidamente desde 1983. En el comentario final, el texto infiere que el embajador tomó nota del poder hegemónico del clan familiar. Pero contrapesa esa observación con la simpatía que le genera la sensibilidad artística del gobernador.

Mientras domina claramente la política local, el gobernador pareció genuino en su deseo de mejorar la vida diaria de los ciudadanos de San Luis, y la provincia refleja su veta artística y su estilo político innovador.

R | Romero

En marzo de 2005 el embajador estadounidense Lino Gutiérrez visitó en su provincia al entonces gobernador de Salta, Juan Carlos Romero, para "revisar el estado actual de la cooperación antinarcóticos entre la Argentina y los Estados Unidos en la frontera norte".

Según un documento filtrado por Wikileaks, durante la visita, el diplomático estadounidense se reunió con jefes policiales y de Gendarmería dedicados al combate del narcotráfico, quienes le dijeron que con los medios disponibles era imposible controlar el flujo de drogas que cruzaba la frontera desde Bolivia.

La visita del embajador tuvo lugar exactamente dos años después de la publicación en la revista *TXT* de documentos de la DEA, la agencia antinarcóticos de los Estados Unidos, que señalaban al padre del entonces gobernador, el ex gobernador Roberto Romero, como un narcotraficante a gran escala.

Según los documentos desclasificados a pedido del periodista Rafael Saralegui, invocando la ley de los Estados Unidos de acceso a la información pública, Romero padre había sido el blanco de al menos tres investigaciones de la DEA. Los documentos muestran que la agencia siguió investigando a Roberto Romero hasta el día de su muerte, ocurrida en un extraño accidente de aviación en 1992. Para la agencia antinarcóticos, el padre de Juan Carlos Romero manejaba una organización que exportaba cargamentos de "centenares de kilos" de cocaína a Europa y los Estados Unidos. El resultado de esas pesquisas se había entregado a la justicia federal salteña pero, según la DEA, no había pasado nada.

Juan Carlos Romero heredó de su padre acciones valuadas en más de un millón de dólares, amén de la jefatura política del justicialismo salteño, título que conservó hasta ser derrotado en las elecciones de 2007 por su ex delfín, el ahora kirchnerista y actual gobernador Juan Manuel Urtubey.

Durante su carrera política, Juan Carlos Romero demostró un fuerte alineamiento con las políticas de Washington, incluyendo un entusiasta apoyo a las acciones de la DEA en su provincia. Sin embargo, el cable de Wikileaks señala que durante su mandato se hizo muy poco para frenar el flujo de drogas hacia la Argentina. Según el cable, el embajador habló con Claudio Domenichini, comandante de la Fuerza Conjunta Frontera Norte, un organismo financiado por la DEA que agrupa a distintas fuerzas de seguridad. El funcionario policial argentino se quejó por la falta de radares y la presencia cada vez más frecuente de aviones que cruzan la frontera sin control. También cargó contra la justicia federal salteña, aunque aclaró que el tribunal de Tartagal era la excepción:

> Dijo que el mayor obstáculo para la aplicación efectiva de las leyes antinarcóticos era la actitud de los jueces federales de Salta. Contó que muchas veces lleva demasiado tiempo conseguir ódenes de allanamiento de los jueces en casos sensibles y opinó que, en general, las leyes argentinas y el sistema legal atentan contra los esfuerzos de sus efectivos para combatir con eficiencia a los traficantes de cocaína.

El embajador también conversó con dos altos oficiales de la Gendarmería, el entonces comandante de Operaciones, Jorge Ramón Tapia, y el entonces jefe de Narcóticos, Aníbal Maiztegui.

Ambos oficiales de Gendarmería informaron al embajador acerca de la situación de los narcóticos en el área de la frontera, destacando que creen que funcionarios del gobierno de Bolivia estaban involucrados en el narcotráfico (entonces gobernaba Carlos Mesa) y que miembros de cárteles de Colombia operaban en la zona.

Los funcionarios de Gendarmería también se quejaron por la falta de un radar para controlar la frontera. Dice el cable, citando a Maiztegui:

"En los últimos doce años la falta de un radar ha sido un gran problema en crecimiento en la región"; destacaron que hace doce años (desde 1993) que vienen pidiendo radares para controlar la frontera.

Agrega el cable:

En respuesta a la pregunta del embajador sobre el radar, Maiztegui dijo que el tema era difícil para Gendarmería y que, como tal, el organismo no se atrevía a criticar la falta de acción en este tema.

A su vez, el comandante Tapia le dijo al embajador que en las condiciones en las que se encontraban les era imposible intentar controlar el paso de drogas a través de la frontera.

Tapia dijo que, para ser sincero, su organización no tenía ninguna posibilidad de aspirar a controlar toda la frontera que las provincias de Salta y Jujuy compartían con Bolivia por lo agreste del terreno y la total falta de personal. Dijo que, reconociendo la futilidad de controlar la frontera, la Gendarmería ejerce un control profundo de los cuellos de botella del transporte en la región fronteriza para combatir a los traficantes.

En su reunión con el embajador, el ex candidato a vice de Menem se mostró como un admirador de los Estados Unidos.

Romero expresó admiración por los Estados Unidos. Una hija suya cursa en (la Universidad de) Georgetown y otros hijos también estudiaron en universidades estadounidenses. Romero se declaró a favor del ALCA (tratado de libre comercio regional impulsado por los Estados Unidos y desestimado por los países del Mercosur en la cumbre de Mar del Plata de 2006). El gobernador Romero criticó las políticas "estatistas" del gobierno central y dijo que él creía en el libre mercado. El gobernador Romero le agradeció al embajador su visita a Salta y dijo que esperaba seguir manteniendo buenas relaciones con los Estados Unidos y con su embajada.

Gutiérrez le devolvió la gentileza e incluyó elogios para el gobierno nacional en declaraciones a la prensa salteña, dice el cable.

El embajador hizo notar que el tránsito de cargamentos de drogas era un problema para la Argentina pero que el gobierno nacional estaba haciendo esfuerzos serios para combatirlo. Elogió el nivel de cooperación que las fuerzas antinarcóticos de los Estados Unidos reciben de sus pares de la Argentina y señaló que los esfuerzos antinarcóticos en Salta recibieron apoyo técnico y tecnológico como parte de un esfuerzo conjunto de las agencias locales.

Así, el embajador Gutiérrez consideró que el objetivo de su viaje se había cumplido.

El mensaje que el embajador llevó a Salta se enfocaba en la importancia que los Estados Unidos le asignan a la relación bilateral, y la necesidad de cooperación política, económica y antidroga continua [...] Parece que el mensaje fue bien recibido.

S | Sanz

En agosto de 2008 el radical Ernesto Sanz le pidió a un grupo de funcionarios estadounidenses que aumentara sus críticas al gobierno de Cristina Kirchner, señala un cable diplomático filtrado por Wikileaks. Sanz elevó su reclamo ante un funcionario del Congreso estadounidense y otro del Departamento de Estado durante una visita a la Argentina, además de hacerlo ante el entonces embajador Earl Anthony Wayne. Tal como le ocurrió a Mauricio Macri seis meses más tarde cuando pidió lo mismo en un almuerzo en la embajada, el pedido de Sanz fue rechazado.

El enviado del Departamento de Estado contestó con diplomacia que "a todas las partes" les convenía que la Argentina y los Estados Unidos se llevaran bien. El funcionario del Congreso fue más claro todavía. Sin demasiada sutileza, le hizo saber al senador mendocino que su pedido de intervención del gobierno estadounidense en la política argentina, como si fuera un partido más, francamente le parecía un exceso. Dice el cable:

> Sanz presionó por un rol más enérgico, tanto de la embajada como de influyentes inversores estadounidenses, pidiendo que mandemos mensajes más duros al gobierno de Kirchner. Los críticos de la oposición, dijo, se sienten aislados al criticar las políticas peligrosas o irra-

cionales del gobierno si los jugadores internacionales clave permanecen en silencio.

Primero llegó la respuesta conciliadora del funcionario del Departamento de Estado:

[El funcionario] Friedman enfatizó que el gobierno de los Estados Unidos buscaba sostener y construir sobre los aspectos positivos de la relación entre la Argentina y los Estados Unidos, y que todas las partes se beneficiarían con más vínculos entre los gobiernos de los dos países.

El funcionario del Congreso fue directo nuevamente: le explicó al líder radical que su estrategia no iba a funcionar.

Meacham también le advirtió a Sanz que un rol de los Estados Unidos demasiado fuerte puede provocar una reacción fácilmente y socavar las posiciones que apoyamos.

De la reunión entre Sanz y los enviados estadounidenses también participó la senadora de la Coalición Cívica, María Eugenia Estenssoro, quien, a diferencia del ex precandidato presidencial, no le pidió intervención alguna a la embajada. Al contrario, dijo que había que ser cuidadosos con las críticas. El gobierno venía de perder las elecciones legislativas de 2007 y el índice de popularidad de la Presidenta, que luego pegaría un salto, se encontraba en su punto más bajo, poco por encima del 20%. Dice el cable firmado por el embajador Earl Anthony Wayne:

A Estenssoro le preocupa que con la frágil historia de las experiencias de gobierno, críticas abiertas al Ejecutivo muchas veces llevaban al colapso de un gobierno, algo que la mayoría de los miembros de la oposición ya no quiere ver.

Si bien Estenssoro criticó el estilo del gobierno y celebró el voto no positivo de Cobos como el fin de la "hegemonía" kirchnerista, la senadora sonó moderada en comparación con su par radical, quien se despachó con el siguiente exabrupto: "Sanz argumentó que el gobierno de Kirchner iba derecho a la chavización hasta que fue descarrilado por la crisis del campo". También dijo que el voto no positivo de Cobos había sido "un acto racional dentro de un gobierno irracional".

El cable incluye dos entrevistas más de la comitiva con senadores argentinos, una con el presidente del Senado, José Pampuro, y otra con los senadores oficialistas Miguel Pichetto y Guillermo Jenefes. Ambos defendieron las políticas del gobierno. En cambio, Pampuro criticó al gobierno por su enfrentamiento con la Mesa de Enlace.

S | Shannon

En pleno conflicto entre el gobierno y la Mesa de Enlace, un alto funcionario de los Estados Unidos viajó a la Argentina para apoyar a la Presidenta en su pulseada con las entidades rurales, dice un cable filtrado por Wikileaks. Mientras políticos, empresarios, economistas y analistas de la oposición desfilaban por la sede diplomática estadounidense para pedirles a sus funcionarios que redoblaran sus críticas al gobierno, la embajada definía a la Argentina "un Gran Socio", así con mayúsculas, y reclamaba al gobierno de Cristina Kirchner "un rol más activo" en la región.

Según un cable del 6 abril de 2008, a días de finalizado el *lockout* patronal con cortes de ruta, el entonces subsecretario para América Latina de la Casa Blanca, Thomas Shannon, preparaba un viaje a la Argentina. La visita de Shannon llegaba en un momento propicio, dice el cable. El incidente por la valija de Antonini Wilson tres meses antes había sido superado con una serie de reuniones entre la Presidenta y el embajador, más la visita de importantes funcionarios estadounidenses que fueron recibidos por la primera mandataria. Pero el conflicto con la Mesa de Enlace estaba en plena erupción y el enfrentamiento con los medios opositores venía *in crescendo*, alertaba el despacho.

Con picardía, el cable firmado por el entonces embajador Earl Anthony Wayne instaba a Shannon a aprovechar la oportunidad:

> Su visita es muy oportuna. Abajo en las encuestas, CFK necesita ayuda. Ella y su reducido grupo de asesores están encantados con la oportunidad de que su visita les provea una chance para que ella luzca sus dotes de estadista ante la audiencia nacional [...] También deberíamos intentar apalancar la gratitud de CFK (por la visita) para conseguir que se mueva en nuestra dirección en temas regionales importantes.

Después de señalar que la Argentina es un "socio fuerte" en la región, el cable desglosa un punteo de tareas que Washington desearía que la Argentina llevara adelante en su relación con los distintos países de la región.

En particular, probablemente éste sea el tiempo más propicio desde la asunción de CFK para hacerle saber la clase de cosas que queremos de la Argentina. Desde nuestra perspectiva, en la región esto incluye:

- El rol positivo que esperamos que cumpla la Argentina para evitar conflictos y fortalecer la democracia en Bolivia.
- Influir al presidente (de Ecuador, Rafael) Correa para que sea más moderado.
- Adoptar una postura más madura, equilibrada y constructiva con respecto al conflicto colombiano.
- Influir positivamente sobre su par venezolano. (Nota: el mismo mensaje habría recibido de Sarkozy durante sus encuentros cara a cara el 7 de abril.)

Después de la lista de deseos, el cable destaca cómo, desde el punto de vista del embajador, se zanjó el incidente de la valija:

El 31 de enero, cuando me reuní con CFK, acordamos dejar el caso de lado y fortalecer nuestra cooperación bilateral. CFK, sus ministros y otros simpatizantes de la administración Kirchner han cumplido el acuerdo y no han hablado del caso judicial. CFK recibió públicamente al congresista Engel y al jefe de inteligencia Kerr mientras Alberto Fernández ha defendido públicamente la relación bilateral.

El cable sigue con un análisis del conflicto rural, que el diplomático atribuye a un "pobre manejo de crisis por parte de CFK y sus asesores".

A continuación, el texto habla de la conveniencia de reflotar un mecanismo de conversaciones bilaterales anuales, encabezadas por la Cancillería argentina y el Departamento de Estado, a partir de un acuerdo firmado por el entonces canciller Guido Di Tella en la época de las relaciones carnales.

El acuerdo fue usado para convocar reuniones en Buenos Aires en 1997 y en Washington en 1999, y reflejaba la inclinación pro estadounidense de Menem. Mientras queremos evitar prometer reuniones de alto nivel que no podamos cumplir, la revitalización del acuerdo ahora demostraría que las relaciones han vuelto a encarrilarse, con ambos lados comprometidos con el fortalecimiento de la relación bilateral.

Otro cable revela que las conversaciones bilaterales se reanudaron tres meses más tarde en Buenos Aires entre la delegación estadounidense encabezada por Shannon y la delegación argentina con la dirección del entonces vicecanciller Victorio Taccetti.

Taccetti dijo que las consultas eran un "excelente vehículo para fortalecer y profundizar nuestra diversa agenda bilateral". Shannon no se quedó atrás. Dice el cable de julio de 2008, también firmado por Wayne :

> Además de nuestros amplios intereses económicos y políticos comunes, Shannon hizo notar los vínculos sociales y culturales que unen a los Estados Unidos y la Argentina.

En la reunión bilateral se abordaron una variedad de cuestiones, desde la cooperación militar hasta la situación impositiva de los empleados de la embajada. Las partes firmaron cuatro acuerdos sobre temas diversos y convinieron volver a reunirse en Washington al año siguiente.

Volviendo al cable que anticipa la visita de Shannon, una larga sección dedicada a distintos temas vinculados con la seguridad explica por qué los Estados Unidos consideran a la Argentina, y al gobierno de Cristina Kirchner, como uno de sus mejores aliados en la región:

> La Argentina es, sin embargo, un Gran Aliado extra OTAN y coopera en la seguridad regional, el contraterrorismo, la interdicción de drogas y la contribución de tropas a las misiones de paz de Naciones Unidas. El gobierno de la Argentina ha sido una fuerte voz internacional en los temas de control de armas y no proliferación nuclear. En la AIEA (la agencia atómica de Naciones Unidas), el gobierno de la Argentina ha votado a favor de girar el incumplimiento iraní al Consejo de Seguridad de Naciones Unidas. El gobierno de la Argentina también ha firmado el tratado de No Proliferación.

Otro pasaje del documento demuestra que ni siquiera los estadounidenses están por encima, si la ocasión se presta, de hacer un poco de populismo:

Como usted [Shannon] sabe, la Argentina consistentemente ha registrado uno de los niveles más altos de sentimiento antiestadounidense en el hemisferio, de acuerdo con las encuestas. He hecho de mi trabajo para cambiar esa percepción la más alta prioridad de la embajada. Es por eso que he programado su evento de responsabilidad social con niños no privilegiados.

Un tercer cable también firmado por Wayne da cuenta de la respuesta de la Presidenta argentina al pedido estadounidense de mayor presencia en la región durante una reunión "muy cordial" el 10 de abril de 2008. El texto indica que Cristina Kirchner escuchó a Shannon y a su vez le pidió que los Estados Unidos apoyen las liberaciones humanitarias de las FARC en Colombia y se opongan al movimiento secesionista que entonces amenazaba con dividir a Bolivia pero que lo hicieran por medio de la Organización de los Estados Americanos.

La reunión entre Cristina Kirchner y Shannon se celebró en la Casa Rosada y tuvo amplia repercusión en la prensa local. El cable que la describe la calificó de "amistosa". Duró noventa minutos y, además de los protagonistas, estuvieron presentes el entonces embajador Wayne, el entonces canciller Jorge Taiana, el entonces jefe de Gabinete, Alberto Fernández, y el entonces embajador argentino en Washington, el actual canciller Héctor Timerman.

Según el cable, Shannon arrancó diciendo que su país desea promover la democracia y el crecimiento económico en la región.

Ésta no es una agenda anti Chávez ni anti Cuba, sino una agenda pro democracia, pro crecimiento y pro justicia social. CFK dijo que compartía completamente esa visión, sobre todo el foco en demostrar que la democracia puede generar empleos y una vida mejor para los miembros más pobres de la sociedad.

Después de intercambiar opiniones sobre la situación en Haití, Shannon sacó el tema de Bolivia.

CFK dijo que sería una catástrofe si Bolivia se dividiera, y argumentó que los Estados Unidos pueden jugar un rol clave para preservar su integridad territorial. Enfatizó que, además de la preocupación por la democracia en Bolivia, la Argentina busca estabilidad en ese país para asegurarse la provisión de gas natural [...] Shannon estuvo de acuerdo en que la OEA podría cumplir un rol muy importante y que los Estados Unidos la apoyarían. CFK dijo que si superamos este desafío sin que el país se fragmente, el éxito fortalecerá a la OEA.

Después Shannon sacó el tema de Colombia, sobre el cual la Argentina y los Estados Unidos mantenían, y mantienen, diferencias. Washington era el principal aliado del entonces presidente Álvaro Uribe, quien con su política de "seguridad democrática" buscaba terminar el conflicto con la guerrilla por la vía militar. El gobierno argentino, al igual que la mayoría de los de la región, favorecía una salida negociada y apoyaba el proceso de liberaciones humanitarias del grupo armado FARC. En la Navidad de 2007, el entonces flamante ex presidente Néstor Kirchner había participado en la selva colombiana de un operativo liderado por Hugo Chávez para liberar a la rehén Ingrid Betancourt. El operativo terminó en un fracaso por la falta de colaboración del gobierno colombiano. Betancourt sería liberada por fuerzas colombianas en un operativo de inteligencia militar en julio de 2008, tres meses después de la reunión entre Cristina y Shannon.

Es en este contexto que se dio el siguiente intercambio entre la Presidenta y el funcionario estadounidense:

[Shannon] señaló que la estrategia de Uribe de seguridad democrática había producido resultados tremendos y que los colombianos ahora confiaban en la victoria. Dijo que el objetivo de Uribe era usar la fuerza militar para llevar a las FARC a la mesa de negociaciones [...] Sin embargo, la desconfianza entre ambas partes y los serios errores cometidos por Hugo Chávez habían terminado por el momento con esta posibilidad. CFK lo urgió a ser más enfático en su apoyo a las liberaciones humanitarias. Shannon dijo que apoyamos las liberaciones humanitarias pero sólo si tienen el apoyo del gobierno de Colombia. CFK recordó su conversación del 11 de diciembre con Uribe, en la que lo encontró muy escéptico sobre la liberación de Ingrid Betancourt y los otros (rehenes). Ella argumentó que las FARC, sin embargo, liberaron a seis rehenes y perdieron a dos miembros de su secretariado. "Con razón, ellos no quieren soltar a más rehenes ahora", dijo.

Pasando a Venezuela, Cristina Kirchner le dijo a Shannon que habla seguido con Chávez y que le mencionaría el interés de los Estados Unidos por mejorar la relación entre Washington y Caracas.

CFK dijo que mencionaría este tema la próxima vez que hable con Chávez ya que ella cree que es importante bajar las tensiones y eliminar la polarización.

El despacho sobre la reunión no dice nada del pedido a la Presidenta argentina de que "modere" al presidente ecuatoriano Rafael Correa, tal como había recomendado Wayne en el cable anterior. Sin embargo, en una entrevista con *Página/12*, Correa se dio por anoticiado. "De los cables (de Wikileaks) que pudo ver hasta ahora, ¿qué es lo que más le preocupa?", le preguntó este cronista. "Tal vez la ingenuidad de los Estados Unidos de pensar que puede, a través de esa querida amiga que es Cristina Fernández de Kirchner, pensar que pueden influir para que el presidente Correa sea más maduro, más moderado, más equilibrado en su relación con Colombia", contestó el presidente ecuatoriano. "La ingenuidad de pensar que una querida amiga como Cristina iba a influir en mí, se iba a prestar a aquello, para tratar de resolver el problema con Colombia, y no resolverlo en base al litigio sino a través de concesiones de Ecuador. Nosotros no tenemos nada que temer, que saquen lo que quieran de informaciones sobre Ecuador, en todo caso lo que nos interesa más bien es lo que intentaron hacer con nosotros."

T | Tinelli

A través de sus personajes de Gran Cuñado, Marcelo Tinelli operó para posicionar la imagen de Néstor Kirchner. Lo hizo con "Néstor", un personaje creado para "ablandar" el perfil de Kirchner de cara a las legislativas de 2009. Lo hizo también con "Cobos," un personaje concebido para menoscabar la figura del vicepresidente, por entonces el principal rival político del fallecido ex presidente. No es que a Marcelo se le ocurrió hacer esto porque sí, sino porque en *ShowMatch*, uno de los programas de mayor rating de la televisión, el gobierno de Cristina Kirchner tiene peso, influencia, lo que se llama *leverage*.

El análisis pertenece a la diplomacia estadounidense y aparece en un cable de junio de 2009 filtrado por Wikileaks sobre el "estilo de campaña" del oficialismo en esas elecciones que eventualmente perdería.

El cable habla de las *symbolic candidacies*, candidaturas testimoniales, y recuerda algunos de los altos y bajos de la campaña, como los huevazos a Scioli y la entrevista de Soledad Silveyra con la Presidenta.

También le dedica varios párrafos al ex presidente Néstor Kirchner, entonces cabeza de lista en la boleta de diputados por la provincia de Buenos Aires, el principal distrito del país, donde sería derrotado en junio de 2009 por el peronismo federal liderado por Francisco de Narváez. El cable, escrito tres semanas antes de los comicios, dice que el ex presidente estaba muy activo haciendo campaña en el conurbano bonaerense.

El cable, firmado por el entonces embajador Earl Anthony Wayne, dice que Kirchner había modificado su forma de ser para cambiar su "imagen de agresivo" porque le jugaba en contra en la campaña.

En un muy notorio esfuerzo por ablandar su imagen agresiva de cara a las elecciones, NK fue visto visitando a los votantes en sus casas, besando bebés y paseándose por las calles saludando sonriente.

Sin embargo, agrega el cable, un "contacto" de la embajada (¿Manuel Mora y Araujo? ¿Rosendo Fraga?) ofreció otra interpretación sobre el estilo de campaña de Kirchner. El contacto opinó que en realidad el ex presidente siempre había tenido su costado populista y sensiblero, pero que sólo entonces, en 2009, mucha gente lo estaba conociendo.

La estrategia parece estar funcionando. Un contacto de la embajada, cuya firma ha asesorado a campañas opositoras, señala que esta vez existe la oportunidad de ver el estilo de campaña de NK, y explicó que cuando fue elegido presidente en 2003 era relativamente desconocido tras haber realizado una corta campaña presidencial debido a los tiempos política y financieramente turbulentos que vivía la Argentina. El consultor agrega que, según encuestas no publicadas de su empresa realizadas a fines de mayo, el índice de aprobación de NK había subido seis puntos en la provincia en el último mes debido a su intensa campaña en ese territorio.

El autor del cable no parece muy convencido. Dice que, aun cuando Néstor Kirchner quiere mostrar su costado más suave, no se priva de asustar a los votantes.

Sin embargo, en su retórica de campaña sobre la posibilidad de que el Frente para la Victoria pierda su mayoría en el Congreso, Néstor Kirchner alterna escenarios tristes y funestos con ocasionales ataques de ecuanimidad.

Antes de ocuparse del show de Tinelli, el cable indaga en otros aspectos de la estrategia mediática del matrimonio Kirchner. En un tramo muestra cómo algunos periodistas, molestos por su falta de acceso a la Presidenta, descalificaban una entrevista que le había hecho la reconocida actriz y militante política Soledad Silveyra.

Aunque muy desconfiados de la prensa, tanto NK como CFK han concedido entrevistas amistosas que se han focalizado en los logros del gobierno. NK ha dado tres entrevistas a los medios, desde principios de mayo, una de ellas con el canal de televisión Telefé, el 8 de mayo, y entrevistas radiales el 20 y 28 de mayo. Mientras tanto, CFK fue entrevistada el 20 de mayo en la inauguración del nuevo programa de la actriz Soledad Silveyra en el canal Telefé. Durante una recepción en la embajada la semana pasada, los periodistas argentinos se refirieron a esta entrevista como un fraude y se quejaron de que ni CFK ni NK dan entrevistas cuando no controlan el mensaje. NK continúa ignorando los llamados de la oposición a un debate televisado.

En la ausencia de dicho debate, el enfrentamiento se había trasladado al terreno simbólico de la parodia, sugiere el cable. Por entonces, los segmentos de Gran Cuñado en *ShowMatch* batían récords de audiencia. El despacho diplomático analiza dos personajes, "Néstor" y "Cobos", sin mencionar a los demás.

La imagen más blanda de NK como candidato se refuerza en el altamente popular show televisivo Gran Cuñado. Este programa de sátira política, que va al aire dos veces por semana a lo largo de las elecciones, parodia los *realitys* de la televisión a través de imitadores que representan a líderes clave de la Argentina, incluyendo a NK y CFK, que eran eliminados uno a uno por los televidentes. La imitación de NK era elogiosa, presentándolo como un candidato amistoso, accesible, pero un poco *goofy* (o torpemente simpático, como el Tribilín de Disney, cuyo nombre en inglés es Goofy). La imitación más positiva de NK representa un fuerte contraste con la imitación del vicepresidente Julio Cobos como un débil, tímido e indeciso líder atrapado en el momento de su voto de desempate contra el proyecto de ley de CFK para aumentar los impuestos al campo.

A juzgar por el rating alcanzado y sobre todo por lo que vino después, habría que reconocerle algún mérito a los intérpretes y a los creadores de los personajes. Mientras el bonachón y accesible "Néstor" tuvo un funeral popular multitudinario en octubre del año pasado, el débil e indeciso "Cobos" entró en caída libre en las encuestas, hasta bajarse de su candidatura presidencial a ocho meses de las elecciones de 2011.

Pero, al menos en junio de 2009, la embajada estadounidense no opinaba lo mismo. Aconsejado por esos "contactos" anónimos que nunca faltan en estos cables, el autor del despacho sugiere que la inspiración que dio vida a las parodias no surgió de la productora de Tinelli, Ideas del Sur, sino de algún escritorio de la Casa Rosada.

Contactos de la embajada han señalado que la descripción más positiva de NK y de otros [políticos] en el show de mayor audiencia de la televisión demuestra el *leverage* que tienen sobre el director del show, Marcelo Tinelli.

V | Valija

El incidente de la valija de Antonini Wilson marcó el punto de mayor tensión bilateral entre la Argentina y los Estados Unidos de los últimos años. El caso ocupó la primera plana de los diarios durante varios días entre diciembre de 2007 y enero de 2008, después de que el empresario venezolano-estadounidense declarara en Miami que la valija con 800.000 mil dólares que le habían incautado en Aeroparque era para la campaña electoral de Cristina Fernández de Kirchner. El gobierno argentino respondió acusando a los Estados Unidos de usar a Antonini Wilson como doble agente en una operación de inteligencia armada para perjudicar al matrimonio presidencial. A modo de retaliación, el gobierno argentino anunció que cancelaba todos sus contactos con la embajada estadounidense, excepto el de la Cancillería.

Un cable de abril de 2008 filtrado por Wikileaks muestra la sorpresa y la desazón que causó la reacción argentina en la sede diplomática estadounidense. El texto dice que para reanudar el diálogo con el gobierno, el embajador Earl Anthony Wayne debió reunirse en secreto y por canal oficioso con el entonces jefe de Gabinete, Alberto Fernández. El cable diplomático reservado deja en claro que —salvo que su autor haya querido engañar al Departamento de Estado— para la embajada y su dotación de espías, la supuesta operación de inteligencia nunca existió:

En diciembre, apenas dos días después de la asunción de CFK, el gobierno de la Argentina malinterpretó y sobrerreaccionó ante informes de prensa sobre un caso federal en Miami contra unos venezolanos y un uruguayo que fueron arrestados bajo cargos de operar y conspirar en los Estados Unidos como agentes del gobierno venezolano sin notificar al fiscal general, como requiere la ley. Durante el procedimiento judicial en Miami surgieron acusaciones de que dinero en efectivo no declarado, llevado a la Argentina en agosto de 2007 por el venezolano, tenía como destino una campaña presidencial. Las declaraciones no pertenecían al gobierno de los Estados Unidos sino a uno de los detenidos (en realidad pertenecían al denunciante Antonini Wilson). Sin embargo, los informes de prensa iniciales no clarificaron eso y las acusaciones fueron tergiversadas aquí diciendo que reflejaban el punto de vista del gobierno de los Estados Unidos.

CFK reaccionó enojada a la inferencia de que había sido la presunta receptora del efectivo interceptado por funcionarios del gobierno de la Argentina. Alimentándose del profundo sentimiento antiestadounidense enraizado (en la sociedad argentina), CFK reiteró la tendencia de los Kirchner de atacar a sus oponentes antes de retroceder y buscar una reconciliación. Interpretó en público que las detenciones en Miami estaban dirigidas contra su gobierno y caracterizó el caso como "operación basura". Para demostrar su enojo, los contactos del embajador con el gobierno de la Argentina fueron restringidos al Ministerio de Relaciones Exteriores. Sin embargo, la retórica eventualmente amainó y la relación se normalizó con mucho trabajo detrás de escena. El 31 de enero, el embajador se reunió con CFK y se pusieron de acuerdo en dejar el caso de lado y trabajar para fortalecer la relación bilateral. El autor del cable atribuyó la crisis al limitado asesoramiento que recibió la Presidenta acerca del tema.

La crisis dejó en claro que CFK se apoyó en su exclusivo círculo íntimo de asesores, que sólo incluye a su marido, a su jefe de Gabinete, Alberto Fernández y, según el tema, al secretario Legal y Técnico, Carlos Zannini. El secretario general de la Presidencia, Oscar Parrilli, y el ministro de Planificación, Julio De Vido, son clave en el siguiente círculo restringido de asesores. El despacho le atribuye a Alberto Fernández un rol clave en la resolución del conflicto: los contactos del sector privado (no alguien del gobierno) nos abrieron un canal oficioso que permitió que Fernández y el embajador Wayne se reunieran confidencialmente y reabrieran el diálogo.

V | Vilma

Un cable de octubre de 2009 filtrado por Wikileaks narra el escrache sufrido por la embajadora estadounidense Vilma Socorro Martínez durante su disertación en la Universidad Nacional de Cuyo. El incidente, que ocurrió durante el primer viaje de Martínez al interior del país después de su nombramiento, tuvo amplia difusión en los medios de prensa mendocinos. El cable lo cuenta como si fuera un drama de película, con un clima que se va espesando hasta llegar al desenlace.

El vicerrector Kent le mencionó a la embajadora que había unos pocos miembros de una organización estudiantil izquierdista que planeaban protestar durante su discurso. Agregó que no creía que fueran más de cinco o seis manifestantes y que no serían un problema significativo. Después de tomar nota de esta potencial interrupción, la embajadora respondió que sus catorce años de experiencia en el directorio de la Universidad de California la habían acostumbrado a los disturbios. Todos los participantes en la reunión se trasladaron a la Facultad de Medicina, donde se realizaría el discurso. La embajadora ingresó en el auditorio, que estaba lleno con cerca de 70 espectadores sentados silenciosamente en sus asientos. El administrador de la universidad dijo unas palabras y después le pasó el micrófono al vicerrector. Cuando Kent empezó la presentación de la embajadora, más de la mitad del público se paró y empezó a cantar y a desplegar carteles denunciado acciones de los Estados Unidos en Honduras, Colombia, Irak y Afganistán. Los manifestantes criticaron el involucramiento de la embajada en los conflictos laborales entre los sindicatos y la empresa alimentaria Kraft. La embajadora aguardó con la esperanza de que la protesta amainara, pero después de aproximadamente ocho a diez minutos de cánticos, gritos y redobles de tambor decidió que era poco probable que los manifestantes le permitieran dar su discurso. Los administradores de la universidad y los guardaespaldas y funcionarios de la embajada se trasladaron a otro cuarto en el mismo edificio. (Uno de los manifestantes le arrojó una naranja al grupo de la embajada mientras se retiraba pero por suerte falló el blanco.) La policía local y los guardaespaldas de la embajadora filtraron a aquellos interesados en escuchar su discurso en otro lugar, primero en la puerta del pasillo que daba al cuarto, después en la puerta misma del cuarto. Recién en ese momento pronunció su discurso y contestó preguntas de la audiencia sin incidentes.

El cable dice que algunos medios vincularon el escrache con otros realizados por simpatizantes del gobierno pero para la embajada el gobierno no tuvo nada que ver porque los manifestantes, además de criticar a los Estados Unidos, también gritaban consignas contra los Kirchner.

Más allá del relato de la experiencia vivida por la embajadora, el cable entrega una interesante explicación de por qué los gobiernos de los Kirchner se han abstenido de reprimir las protestas sociales, vinculando el presente con las experiencias vividas en la pasada dictadura.

Bajo los gobiernos de los Kirchner, las autoridades del gobierno de la Argentina han sido reacias a emprender cualquier acción que pueda ser vista como la supresión de la libertad de expresión. Esta restricción muchas veces se atribuye a una reacción a la pesada represión aplicada durante la dictadura militar de 1976-1983, y es una forma de reconocer (que surge de la crisis de 2001-2002) de que las protestas pueden servir para descomprimir situaciones.

Sin embargo, la experiencia vivida por la embajadora y las muestras de solidaridad recibidas parecen haber teñido su opinión sobre las distintas expresiones de la protesta social en la Argentina. Así concluye el cable que ella misma firma:

Muchos contactos de la embajada están disgustados y preocupados por la creciente falta de civismo en el discurso político y la impunidad con que los manifestantes hacen callar a los gritos a los oradores, con que los "piqueteros" cortan rutas, cierran puentes o atacan a gente que celebra el aniversario del Estado de Israel, y con que los trabajadores ocupan fábricas y los estudiantes ocupan escuelas.

W | Wayne

En diciembre de 2008 el entonces embajador de los Estados Unidos, Earl Anthony Wayne, emprendió un "contraataque combinado" para desmentir un título de tapa del diario *Clarín*, a su entender falso, que hablaba de tensiones entre los gobiernos de la Argentina y los Estados Unidos. Según un cable diplomático, el matutino fabricó la noticia de que el gobierno argentino había recibido una "fuerte reclamo" por parte de Washington, extrayendo frases sueltas de un informe anual mundial del Departamento de Estado.

Según el cable, dicho informe es tan rutinario como lo indica su nombre, *Background Notes*. Añadió su autor:

Más aún, y muy lejos del tono de reproche, el informe sobre la Argentina había sido en general positivo y destacaba varios logros del gobierno, empezando por el fuerte crecimiento económico.

Sin embargo, *Clarín* había titulado en tapa: "Fuerte reclamo de los Estados Unidos por tarifas, bonistas y empresas". Adentro, el artículo firmado por su corresponsal en Washington, Ana Barón, no decía exactamente eso. Barón aclaraba de entrada que se trataba de un "informe anual" escrito por "una mano diplomática" y señalaba algunas "advertencias" que aparecerían en el capítulo económico. Pero en ningún momento hablaba de un mensaje del gobierno estadounidense, mucho menos una dura advertencia.

Dice el cable firmado por Wayne:

> Aunque el informe destacó la naturaleza positiva de la relación entre los Estados Unidos y la Argentina y señaló el crecimiento continuado de la Argentina, el diario de mayor circulación, *Clarín*, caracterizó el informe como una "dura advertencia" al gobierno de la Argentina y agregó una columna editorial afirmando que las *Background Notes* desnudaron las tensiones latentes en la relación.

Después explica por qué el enfoque que venía adoptando *Clarín* para tratar ciertas noticias perjudicaba los intereses de la embajada.

> La edición de la mañana de 18 de diciembre, por ejemplo, ofreció un título en letras rojas de molde debajo de la historia principal: "Fuerte reclamo de los Estados Unidos por tarifas, bonistas y empresas". Semejantes titulares de *Clarín*, muchas veces injustificados como en este caso, provocan en los Kirchner una airada reacción pública que castiga a los Estados Unidos.

Para prevenir dicho desenlace y desmentir la noticia de *Clarín*, Wayne montó un operativo de prensa: "La embajada se movió rápido para sacar una desmentida de la historia de *Clarín*".

El cable dice que diplomáticos estadounidenses llamaron a la Cancillería y a la Casa Rosada para informar que la embajada le respondería a *Clarín* y para pedirle al gobierno que no reaccione hasta conocer esa respuesta. Después, Wayne pasó a la ofensiva. Explica el despacho:

El embajador revisó el discurso que había preparado para la recepción anual de periodistas por las fiestas (que convenientemente estaba agendada para el mismo día en que salió la historia de *Clarín*) e incluyó palabras para afirmar que "ciertos medios" habían "inventado tensiones" en las *Background Notes*, y presentó ejemplos de cómo el informe sobre la economía argentina había sido positivo. El embajador Wayne subrayó que la relación bilateral es estable y equilibrada pese a los desacuerdos sobre temas específicos que pueden aparecer cada tanto. Dio un fuerte mensaje sobre la importancia de la prensa libre para la democracia. La sección de Asuntos Públicos distribuyó copias de las *Background Notes* a los periodistas presentes en la recepción, así como un ayudamemoria que destaca los elementos positivos del informe y su neutralidad.

El embajador quedó conforme con el resultado del operativo de desmentida, agrega el cable. Sin nombrarlo, Wayne destacó el trabajo del periodista de *Página/12*, Martín Granovsky, entonces director de la agencia de noticias estatal Télam.

La recepción ofreció el escenario ideal para un contraataque combinado de la historia ante todos los medios y los más de cien periodistas presentes. El director de la agencia estatal de noticias, un hombre con buenos contactos, ordenó a través de su celular que mandaran un despacho por los cables con el mensaje del embajador correctamente descripto en su título: "El embajador dice que están inventando tensiones". Toda la prensa siguió sus pasos a lo largo de la tarde.

El contraataque había funcionado de acuerdo con los planes pero el embajador no se dio por satisfecho, continúa el cable.

Funcionarios de prensa de la embajada también llamaron y entregaron en mano el discurso, el ayudamemoria y las *Background Notes* a voceros de la Casa Rosada y del Ministerio de Relaciones Exteriores, muchos de los cuales estaban acompañando a CFK en Brasil. La oficina de Prensa de la embajada le mandó el mismo archivo al editor en jefe de *Clarín*, quien en una llamada telefónica para acusar recibo del paquete preguntó tímidamente si la relación del diario con la embajada seguía intacta. El diario cubrió la declaración del embajador a página completa en la mañana del 17 de diciembre pero el editor en jefe escribió un editorial defendiendo el artículo del día previo, sugiriendo que la diferencia era más bien semántica: lo que la embajada llama "desafíos", el diario lo llama "tensiones".

Al día siguiente del título de *Clarín*, Kirchner habló en un acto del Frente para la Victoria. En su discurso criticó a Cobos, a Lilita Carrió y a la llamada prensa opositora. Según el cable, Kirchner iba a agarrárselas también con la embajada estadounidense pero cambió de opinión a último momento.

Kirchner reconoció que había querido criticar el informe, que "estaba muy enojado con el Departamento de Estado; iba a dedicarle un párrafo entero (de mi discurso a este tema). Pero, embajador, quería ser leal. [Con] sus rápidos reflejos me ganó de mano. Como usted dijo, todo esto fue una fabricación de la prensa". Según el diario de centroizquierda *Crítica*, Kirchner usó el informe como otro ejemplo del prejuicio de los medios sobre el gobierno, riéndose mientras decía que "hasta el embajador de los Estados Unidos dice que la prensa inventa". Kirchner llamó a los periodistas a "dejar de mirar las cosas como quieren verlas" e indicó que la misma prensa puede proteger la libertad de prensa demostrando su independencia de los dueños de los medios. Reiteró la voluntad del gobierno de hacer fuerza por una nueva Ley de Medios.

El embajador Wayne cerró su cable con una explicación detallada de cuál sería la estrategia mediática de la embajada. Por entonces Obama ya había ganado las elecciones, el gobierno de Bush llegaba a su fin con la popularidad por el piso, y los Estados Unidos eran un blanco fácil para sus críticos en todo el mundo. Ante un endurecimiento en el discurso de los Kirchner, más las exageraciones a las que suelen ser proclives "ciertos medios", según su propio eufemismo, lo mejor es bajarle el tono a cualquier disputa y esperar que llegue Obama, escribió el embajador.

No faltaron enemigos políticos, reales o imaginarios, en las palabras de Néstor Kirchner. A lo largo de su presidencia, e incluso la de su esposa, ha criticado a los medios por descarrilar la agenda kirchnerista y ahora ha agregado al vicepresidente Cobos y a Elisa Carrió a su lista negra. En el pasado, las críticas de Kirchner hacia los Estados Unidos habían sido más indirectas pero en meses recientes tanto él como CFK habían sido más precisos en sus críticas. La prensa argentina también ha sido más creativa al usar las palabras del embajador para referir más conflicto del que realmentre existe, por ejemplo en el tema de lavado de dinero y el manejo de las *Background Notes* esta semana. Pensando en preservar los intereses a largo plazo de los Estados Unidos en este gran país, hemos querido dejar pasar sus provocaciones y enfatizar los aspectos positivos de la relación [...] La buena noticia es que según observadores bien informados, será difícil para los Kirchner seguir usando a los Estados Unidos como *punching ball* una vez que asuma Obama.

El remate del embajador también incluye una "dura advertencia" dirigida al diario *Clarín*:

Este enviado va a seguir trabajando duro para sostener una política de promoción de la libertad de prensa y de integridad periodística mientras mantiene una buena relación de trabajo con el gobierno de la Argentina.

W | Wikiguerra

La Wikiguerra empezó el día que un soldado llamado Bradley Manning, asignado al área de inteligencia del Ejército,
sustrajo información de una red que compartían 500.000
empleados del gobierno de los Estados Unidos y esa información llegó a Wikileaks, un sitio fundado por un ex
hacker que se dedica a publicar documentos secretos. Entre los cientos de miles de cables sustraídos por Manning
había documentos sobre las guerras de Irak y Afganistán,
y como ninguna guerra es prolija, la información dejaba
mal parado al gobierno estadounidense. También había cables diplomáticos llenos de opiniones positivas y negativas
sobre distintos hechos y personas, salpicados con jugosos
detalles desconocidos. Las opiniones negativas, miles y miles de ellas, y los datos desconocidos, justamente porque lo
que no se dice en público suele ser lo más comprometedor,
dejaban al gobierno de los Estados Unidos en una situación
incómoda.

Para responder a esta amenaza, el gobierno hizo dos cosas. Por un lado bajó línea por medio de sus voceros auto-
rizados para que aseguraran que la información era puro
chisme, y ordenó a los demás empleados que no hablaran
del tema. Por otro lado, el Pentágono contrató una importante firma de abogados y lobbyistas y una reconocida
consultora de seguridad —que es, además, una de las prin-

cipales contratistas de las fuerzas armadas y de las agencias de inteligencia— para atacar a Wikileaks.

A su vez, la consultora de seguridad subcontrató ciertas tareas a un grupo de empresas especializadas en cibercrímenes de alta tecnología. Esas empresas presentaron planes como el lanzamiento de una campaña de desinformación filtrando documentos truchos de Wikileaks y denunciándolos después. O trabajar en las redes sociales para obtener información sensible sobre los miembros de Wikileaks para explotar sus debilidades. O perseguir a todas las personas que hicieran donaciones a Wikileaks porque las transacciones financieras son más fáciles de rastrear.

¿Y cómo sabemos todo eso? Porque Wikileaks tiene un aliado. En realidad, tiene el apoyo de toda la cultura pirata de Internet, miles y miles de militantes del ciberanarquismo que se unieron, primero, para defender la descarga de música, después de libros, cine, deportes, y ahora de secretos. Pero, puntualmente, Wikileaks tiene el inestimable apoyo un grupo de hackers llamado Anonymous que velan por la libertad en la web. Estos hackers tienen fama de poder atacar cualquier sistema informático que se propongan. Cuando Visa, MasterCard y PayPal cerraron sus cuentas para procesar las donaciones a Wikileaks, Anonymous lanzó un ataque cibernético devastador contra esas compañías.

Bueno, resulta que una de las empresas subcontratadas para atacar a Wikileaks tenía un presidente al que le gustaba hablar demasiado. En una entrevista dijo que no le resultaría difícil penetrar la organización de Wikileaks y que, de hecho, ya lo había logrado con Anonymous y que había identificado a los líderes del grupo de hackers.

Anonymous respondió con un comunicado. Dijo que este señor había querido robarse la miel. Al hacerlo había alterado la colmena y ahora las abejas lo iban a picar. Al mismo tiempo, el grupo subió a la web un archivo completo con todos los e-mails y documentos internos de la empresa e incluyó un motor de búsqueda para facilitar las cosas. Por medio de esos textos nos enteramos de la ofensiva del Pentágono para ganar la Wikiguerra.

Mientras tanto, Manning sigue preso en una cárcel militar de Virginia. Lo habían acusado de robar secretos del gobierno o algo así, una felonía castigada con no más de cinco años de cárcel. En realidad, esa imputación era una excusa para ganar tiempo. Después le sumaron los cargos de espionaje y colaboración con el enemigo, delitos penados con la muerte, aunque el fiscal aclaró que no va a solicitar la pena capital. Lo que buscan, además de una pena ejemplificadora para Manning, es que el soldado entregue a Julian Assange, el fundador de Wikileaks. Los estadounidenses todavía no saben cómo los documentos obtenidos por Manning llegaron a Wikileaks.

Pero para condenar a Manning por traición, aun con toda la presión del gobierno para que así ocurra, la fiscalía la tiene muy cuesta arriba. Encontrar el vínculo entre Manning y Assange sería apenas un primer paso. Después hay que demostrar que Wikileaks es un enemigo. Ahí chocan con los grandes medios y con el lobby por la libertad de expresión. Porque Assange no robó nada. Hizo algo que siempre hicieron los medios: publicar información secreta.

Por eso lo buscan por crímenes sexuales, en un caso muy raro en el que el supuesto delito ocurrió como parte de relaciones consensuadas. La justicia británica aceptó el pedido de Suecia y ha ordenado su extradición.

Los cables siguen dando la vuelta al mundo y cada vez más medios los usan. El relato del embajador estadounidense sobre la vida corrupta del dictador tunecino disparó un alzamiento que se extendió a toda la península arábiga, derrocando o poniendo en peligro a un importante número de aliados no democráticos que los Estados Unidos tienen en África y Oriente Medio.

Las noticias más recientes dicen que la Cámara de Comercio de los Estados Unidos y el Bank of America se sumaron a la Wikiguerra del Pentágono con recursos propios después de que Assange le dijera a la revista *Forbes* que tenía información que podría hacer caer a "un importante banco americano".

Para completar el panorama, el diario británico *The Guardian* y el estadounidense *The New Times*, los dos medios que más se benefiaciaron con las revelaciones de Wikileaks, publicaron sendos perfiles del fundador de Wikileaks en los que describen a Assange como un paranoico perseguido, sin mencionar los planes del Pentágono para acabar con él.

Y | Yabrán

"H. C.", el sucesor de Alfredo "Papimafi" Yabrán, fue informante de la embajada estadounidense durante el conflicto desatado por la valija de Antonini Wilson. Según un cable filtrado por Wikileaks, el heredero de Yabrán le dio a funcionarios de la embajada una descripción pormenorizada de cómo ocurrieron los hechos desde el punto de vista del piloto que conducía el avión en el que viajaba la valija cargada de dinero, que luego sería incautada en la aduana.

En mayo de 1998, horas antes de antes quitarse la vida de un escopetazo mientras era acorralado por la justicia argentina y el FBI, Alfredo Yabrán escribió un testamento nombrando a "H. C.", Héctor Colella, como su sucesor. Yabrán venía de ser denunciado por el entonces ministro de Economía, Domingo Cavallo, en una maratónica sesión del Congreso. El ministro demostró que Yabrán lideraba una mafia que controlaba la entrada y la salida de bienes del país por medio de un entramado de empresas sospechosamente autofinanciadas, con posiciones dominantes en logística, seguridad, transporte y servicios aeroportuarios, más la impresión de dinero y documentos oficiales y el manejo informático de Lotería Nacional mediante una empresa cautiva. Este entramado se apoyaba en una red de políticos, jueces, policías, obispos y periodistas a sueldo, y en un círculo parapolicial de ex represores de la dictadura acusado, entre otras cosas, de haber incendiado casas de empresarios competidores y de funcionarios públicos. Cuando se mató, Yabrán era buscado por el asesinato del fotoperiodista José Luis Cabezas. "Me pidió que cuidara a la familia", había dicho Colella al salir del funeral.

El 12 de agosto de 2008, H. C. se acercó a la embajada de los Estados Unidos a cumplir con su promesa. El episodio de la valija de Antonini Wilson había salpicado a Pablo, el hijo de Yabrán, quien de chico llamaba a su padre "papimafi". Pablo es el dueño de la empresa de charters aéreos Royal Class, y la valija había viajado en uno de sus aviones.

Colella aprovechó el contacto con la embajada para matar dos pájaros de un tiro. Por un lado, proteger al hijo de Yabrán; por el otro, mostrarse amigable y colaborativo con los mismos estadounidenses que alguna vez le bajaron el pulgar a su patrón. Al hacerlo dejó en claro para quién juega el Grupo Yabrán, al menos desde el suicidio de Don Alfredo, cada vez que la Argentina y los Estados Unidos entran en conflicto.

H. C. llegó a la embajada acompañado por el empresario especializado en seguridad Mario Montoto, a quien el cable describe como "un empresario bien conectado y magnate editorial". A Colella lo presenta como "el presidente del correo OCA S.A."

Después de esa síntesis, el cable arranca diciendo: "Colella le dijo a los funcionarios de la embajada que el dueño de Royal Class Air es un socio suyo, Pablo Yabrón". El cable se refiere a Pablo Yabrán con el apellido "Yabrón". El error, intencional o no, quizá sirvió para evitar que saltaran los frondosos antecedentes que había acumulado Yabrán padre en las bases de datos de la DEA y del FBI.

Lo primero que hizo Colella fue aclarar que ellos no

tenían nada que ver con los pasajeros que viajaban en el avión ya que habían sido contratados a través de un tercero, la empresa Aeropuertos Argentina 2000.

Hasta que estalló el escándalo de la valija con 800.000 dólares, dijo Colella, el gobierno de la Argentina contrataba sus servicios de charter a Aeropuertos Argentina 2000, y AA2000 subcontrataba el servicio con Royal Class Air. Antes del escándalo, dijo, el gobierno había usado a Royal Class Air cuatro veces durante 2007. Después del escándalo el gobierno de la Argentina no volvió a viajar por Royal.

Collela explicó después que la valija fue interceptada porque el piloto de Royal actuó con admirable profesionalismo.

Cuando el jet llegó a Aeroparque, los pasajeros le ordenaron al piloto que se dirigiera al sector militar/VIP del aeropuerto pero la torre de control dirigió al piloto a un área cerca de la terminal central de pasajeros. Después de que el jet estacionara en el área indicada, según Colella, los pasajeros intentaron abandonar esa área con sus valijas en una combi pero el piloto insistió en seguir el protocolo apropiado y mandó a los pasajeros y a su equipaje a Migraciones y Aduana […] La insistencia del piloto en cumplir con las regulaciones armó el escenario para el descubrimiento de la tristemente célebre valija llena de dinero.

Entre los pasajeros viajaba el entonces funcionario argentino Claudio Uberti, que a raíz del incidente fue separado del gobierno.
Según Colella, AA2000 usó a Royal para despegarse del escándalo.

Cuando el escándalo se hizo público, AA2000 indicó a Royal que le facturara directamente a (la empresa estatal ENARSA). AA2000 había subcontratado a Royal y Royal ya había preparado la factura para AA2000. Eventualmente, Royal le terminó facturando al gobierno de la Argentina pero guardó los e-mails y la documentación del cambio.

El cable cierra con un aporte de Montoto, quien le informa a los diplomáticos que el aeropuerto cuenta con escáneres que fácilmente pueden detectar una valija llena de dinero.

Z | Zannini

Aunque para el gran público es prácticamente un desconocido, el secretario Legal y Técnico de la Presidencia, Carlos Zannini, es uno de los hombres más influyentes del gobierno argentino. Zannini no tiene peso territorial ni poder propio pero es uno de los asesores más cercanos a la presidenta Cristina Kirchner. En ocho cables filtrados por Wikileaks, Zannini aparece representando a los gobiernos de Néstor y Cristina Kirchner en temas delicados como el caso de la valija de Antonini Wilson, la multimillonaria venta de la empresa de transmisión eléctrica Transener y la Ley de Medios Audiovisuales.

Zannini es un abogado cordobés de 56 años. En su juventud militó en la agrupación maoísta Vanguardia Comunista y en 1976 cayó preso. En 1979 salió libre y en 1984 se mudó a Santa Cruz, donde conoció a Néstor y a Cristina, a quienes acompañó en todas sus gestiones políticas. Ha sido, durante años, el abogado consejero del matrimonio Kirchner (y después del fallecimiento de Néstor Kirchner, de la Presidenta). "Quienes están cerca de Zannini muchas veces se refieren a él por su sobrenombre, 'el chino', una referencia a los años de activismo maoísta de su juventud", dice un cable de enero de 2005 que resume su currículum.

Zannini prácticamente no habla en público y cuando lo hace en privado suele ser en nombre de la Presidenta, como antes lo hacía en nombre del matrimonio presidencial. Por eso no es mucho lo que se conoce del Zannini íntimo. "Pocos le conocen la voz y la mayoría no podría identificar su rostro en la foto de un acto oficial", escribió el periodista Julio Blanck en el diario *Clarín*.

Sin embargo, según un cable diplomático de agosto de 2008, Zannini habló de su familia, de su juventud, sus ideas políticas y los sucesos que las moldearon, en una conversación con el entonces embajador estadounidense Earl Anthony Wayne y con el funcionario del Congreso estadounidense Carl Meacham.

El cable agrega que tras la partida del jefe de Gabinete, Alberto Fernández, del gobierno en julio de 2008, Zannini pasó a ser el nexo entre la embajada y el círculo íntimo de la Presidenta.

En el extenso despacho que da cuenta de su reunión con los funcionarios estadounidenses, Zannini transmitió la postura del gobierno con respecto a una variedad de temas de actualidad. Defendió las políticas económicas del gobierno y la posición argentina en la Ronda de Doha, acusó a los sectores enfrentados con la Casa Rosada por las retenciones agrícolas de haber apoyado dictaduras, criticó al vicepresidente Julio Cobos y explicó por qué el gobierno había enviado al Congreso un proyecto de ley para reestatizar Aerolíneas Argentinas. (La ley se aprobó al mes siguiente, en septiembre de 2008.) Según el cable, antes de meterse de lleno en los temas de la actualidad nacional, Zannini contó su viaje al estado de Minnesota, en la zona de los Grandes Lagos del *midwest* de los Estados Unidos.

El 7 de agosto, el embajador Wayne, acompañado por el alto funcionario del comité de Relaciones Exteriores del Senado, Carl Meacham, se reunieron con el secretario Legal y Técnico de la Presidencia, Carlos Zannini, miembro del círculo íntimo de la presidenta Cristina Fernández de Kirchner (CFK). La reunión se había coordinado originariamente para hablar del reciente viaje de Zannini a Minnesota, donde su hijo ha completado un programa de un año de intercambio en una escuela secundaria.

```
----------------------------------
Carlos Zannini: The Strategy Man
----------------------------------

10. (C) Carlos Zannini, the Secretary for Legal and
Technical
Affairs, is Kirchner's most trusted official and is the
main
person that conceptualizes and plans the strategies for
Kirchner.  Kirchner seeks Zannini's advice on every
decision
he makes.  Zannini lacks experience in international
relations and managing national politics in Buenos Aires,
so
he is at a disadvantage when he attempts to guide
Kirchner on
foreign relations and sophisticated national political
issues.  By most accounts, Zannini is honest by Argentine
standards.

11. (C) Since accepting his current position in May 2003,
Zannini has taken part in all relevant meetings where
presidential decisions are made and is one of the few
associates that the Kirchners regularly invite to their
Saturday coffee sessions at the Quinta de Olivos to
discuss
tactics and strategy.  Zannini reviews and signs off on
every
major piece of legislation and Kirchner Administration
policy
initiative, including providing clearance on draft texts
of
IMF agreements, which he discusses with Kirchner in
meetings
at the Casa Rosada that sometimes go to midnight.  Carlos
Zannini is also very close to Cristina Kirchner, with
whom he
speaks with at least two or three times a day to give her
legal and political advice, according to the leading
weekly
magazine Noticias.

12. (C) Zannini plays a moderating influence on Kirchner
on economic issues.  He shares Kirchner's obsession with
```

[...] Zannini dijo que disfrutó su visita a Minnesota y de haber conocido a la familia anfitriona de su hijo. Estaba impresionado por el "espíritu independiente" y por la historia abolicionista de Minnesota al señalar que se sumó a la Unión como estado independiente en 1858. Además dijo que lo había impresionado el espíritu y que lo había sorprendido el número de fábricas de cereales (copos de avena y maíz) que había en Minnesota. Dijo que estaba contento porque su hijo había madurado con la experiencia [...] Dijo que su hijo había desarrollado un respeto por las normas legales y sociales, por el trabajo duro en el aula, y que ahora valora cosas a las que en la Argentina no le prestaba atención.

A continuación, el embajador y el funcionario del Capitolio contestaron que los intercambios son muy buenos para mejorar el entendimiento mutuo y las relaciones bilaterales. Zannini estuvo de acuerdo y opinó que había que terminar con las miradas estereotipadas en los dos países.

Zannini estuvo de acuerdo en que son necesarios más intercambios para mejorar el entendimiento mutuo al decir "debemos abandonar las nociones preconcebidas que tenemos del otro". Se refirió a un reciente episodio del programa de televisión *Los Simpsons* en que uno de los personajes vinculó al ex presidente Juan Perón con Hitler [...] Zannini indicó que muchos argentinos se ofendieron profundamente con esta estereotipación pero para él era ilustrativo de cómo un típico estadounidense ve a la Argentina. Dijo que no hay que preocuparse ya que "en la Argentina hacemos lo mismo con EE.UU.".

Sobre el final del cable, firmado por Wayne, el autor habla de la importancia del lugar que Zannini ocupa en el gobierno, de sus ideas políticas y de cómo esas ideas se habrían moldeado durante su juventud.

En la actualidad, Zannini es el asesor más cercano a los Kirchner. Sus palabras reflejan de cerca las actitudes de CFK. Repitió el discurso oficial sobre la economía al indicar que la administración de CFK no va a encarar el desequilibrio estructural y de crecimiento económico en el futuro cercano. Sin embargo, nos dejó la impresión de ser un creyente ferviente en la justicia social (y en la agenda política de los Kirchner como forma de alcanzarla) más que un ideólogo de línea dura. Con la ida de Alberto Fernández, Zannini se ha convertido en el miembro más accesible de la minúscula "mesa chica", donde se toman las decisiones clave del gobierno de la Argentina. Su interés en las oportunidades sociales —originado en su historia por haber crecido en una familia de clase baja y haber recibido asistencia gubernamental para ir a la escuela— también es una parte clave de la mirada de CFK.

En el último párrafo, el autor describe complacido la transformación del poderoso funcionario argentino, desde su militancia juvenil en el "izquierdismo" maoísta hasta su viaje al "estado de los 10.000 lagos", como se conoce a Minnesota en los Estados Unidos.

La experiencia del hijo de Zannini en Minnesota parece ser un factor clave en su voluntad de relacionarse con nosotros. Los informes favorables que recibió de la tierra de los 10.000 lagos parece haberlo alentado a repensar su actitud hacia nuestro país, y en los últimos meses, cada vez que el embajador ha hablado con él, Zannini ha estado notoriamente más relajado y abierto. Su reciente viaje a Minnesota parece haberlo alentado a cierta admiración hacia ciertos aspectos de la sociedad estadounidense a pesar de haberse criado en un ambiente antiestadounidense del izquierdismo argentino. Sus comentarios sobre su experiencia demuestran la importancia de los intercambios para mejorar el conocimiento por parte del gobierno de los beneficios que podría brindar una relación más cercana con los Estados Unidos.

| Índice